Sylvie Croteau

CHRISTIANE SCHAPIRA

Soupes, Potages, Consommés et Veloutés

Photos : Nicolas LESER
Stylisme : Ulrike SKADOW

SOLAR

Remerciements pour les photos :
Florent Monestier chez Bernard Carant –
47 *bis,* avenue-Bosquet – 75007 Paris.
Le Creuset.
CFOC – 167, boulevard Saint-Germain – 75006 Paris.
La Table en fête – 71, place du Docteur-F.-Lobligeois – 75017 Paris.
Noir sur Blanc – 10, rue Bridaine – 75017 Paris.

« *Je vis de bonne soupe et non de beau langage.* »
MOLIÈRE

« *On joint au bouillon des légumes ou des racines*
pour en relever le goût, et du pain ou des pâtes
pour rendre plus nourrissant :
c'est ce qu'on appelle un potage...
On convient généralement qu'on ne mange
nulle part d'aussi bon potage qu'en France. »
BRILLAT-SAVARIN

🍲 : facile ;

🍲🍲 : assez difficile ;

🍲🍲🍲 : difficile.

Sommaire

AVANT-PROPOS

Longtemps délaissée par les nouveaux modes de vie propres à notre époque et aux habitudes alimentaires qu'ils ont entraînées, la soupe, cette vénérable, nous revient avec ses saveurs, sa convivialité, ses images rassurantes de douce atmosphère. Comme Proust et sa fameuse madeleine, nous avons en nous, portés par la nostalgie, de ces souvenirs de soupe qu'il fallait bien manger pour grandir, ou parce que la tradition et les coutumes en faisaient tout bonnement l'essentiel du repas du soir.

Je me souviens de ma mère assise dans la cuisine devant la fenêtre, épluchant les légumes sur la fin de l'après-midi. Le poêle ronflait, la lumière ne déclinait pas encore. La tête légèrement inclinée, elle était tout à son ouvrage, perdue dans ses pensées secrètes, laissant tomber les épluchures sur le journal de la veille, où elle avait fait ses comptes. Selon la soupe qu'elle préparait, elle coupait grossièrement les légumes ou, au contraire, les détaillait finement en brunoise. C'était cette dernière que nous préférions, car nous pouvions identifier les morceaux de navet, de carotte, de céleri, de pomme de terre. Au moment de servir, elle n'oubliait jamais la rasade d'huile d'olive qui faisait des yeux que nous élargissions du bout de la cuillère ; pas plus qu'elle n'oubliait le fromage râpé dont chacun se servait et qui faisait des fils au contact du bouillon brûlant. Une habitude que j'ai conservée.

Parfois elle faisait revenir les légumes dans un peu de graisse, et la soupe s'en trouvait toute changée. D'autres fois, nous avions droit au pot-au-feu. C'était plus rare. Mais je n'ai pas oublié la leçon : « Si tu mets la viande dans l'eau froide, tu auras un excellent bouillon, tandis que si tu la plonges dans l'eau chaude, la viande sera meilleure, mais au détriment du bouillon. »

Je me souviens aussi des brillulis, de la soupe de pois cassés que l'on rallongeait avec un peu de lait le lendemain, de la soupe paysanne de son pays, bien épaisse, avec du lard, la cuillère tenant debout dans la marmite. Je me souviens aussi de la soupe au pistou et du pot de basilic sur la fenêtre, du velouté à la tomate, de l'aïgo boulido quand elle était pressée, et qui avait bien des vertus.

Mon père raffolait de la soupe. Il en mangeait parfois dans la journée comme d'autres dégustent un dessert. Lui faisait la soupe à l'oignon. C'était sa spécialité. La croûte annonçait des saveurs qui, quoique connues, nous surprirent souvent.

Plus tard, la soupe chantonnait sur le coin du poêle, et un délicieux fumet emplissait la pièce. Ma mère avait pris sa boîte à couture. Assise auprès d'elle dans la cuisine, je lisais un livre. C'était bien.

J'ai toujours fait de la soupe. Je l'adapte aux circonstances et aux saisons. Un bortsch, un pot-au-feu pour l'hiver. Une soupe de fèves au printemps. Une bisque, un potage à la reine pour une réception. Une soupe au pistou, une soupe de poissons l'été, avec tous ses accompagnements, comme une fête.

Il y a toutes sortes de soupes, des légères, des rustiques, des raffinées, des complètes avec de la viande, des vite faites, et d'autres qui demandent plus de temps de préparation et de cuisson. Mais ne méritent-elles pas qu'on s'y attarde comme pour n'importe quel mets, ne serait-ce que pour les si précieux sels minéraux conservés dans le bouillon ? Et n'y a-t-il pas du plaisir à cuisiner sans contrainte pour ceux que l'on aime ? Il est temps de réhabiliter cette ancêtre qui, entre autres avantages, a celui de pouvoir être faite pour plusieurs jours. Et laissons le grand Scarron conclure :

Quand on se gorge d'un potage
Succulent comme un consommé
Si notre corps en est charmé
Notre âme l'est bien davantage.

Histoire de la soupe

DU BROUET DES GRECS AU POTAGE
DE SARAH BERNHARDT

L'histoire de la soupe ou du potage est aussi ancienne que l'histoire de la maîtrise du feu par les hommes. Bien avant la découverte de la poterie, à l'époque primitive, nos lointains ancêtres faisaient chauffer l'eau dans des trous creusés dans la terre ou dans des excavations de roches, en se servant de pierres chauffées à blanc. Dans ces marmites de fortune cuisaient des végétaux, des racines dont se régalaient probablement les hommes de l'âge de pierre. Il n'y a pas si longtemps, certaines peuplades d'Océanie utilisaient toujours ce même procédé archaïque. Plus tard vint le chaudron. Quand il manquait à l'équipement culinaire, les Scythes utilisaient un astucieux palliatif : l'estomac de la bête abattue, bœuf ou chèvre, remplaçait le récipient où d'habitude cuisait la viande en compagnie de l'eau.

LE BROUET DES GRECS

Puis les bouillies de céréales succédèrent à ces soupes claires. La farine obtenue par une mouture entre deux pierres est ajoutée à l'eau ; mais c'est aussi, parfois, une coction brute de graines qui cuit dans le récipient. Puis les bouillies se sophistiquent : dans la Grèce antique, les bouillies d'épeautre sont épicées, miellées et relevées de vins aromatiques.

Quant au brouet dont la fable de La Fontaine nous rapporte la transparence et la légèreté, il fut, bien avant le grand siècle, le plat civique et obligatoire des Spartiates.

Composé de sang, de viande et de vinaigre, il ne fit pas, dit-on, l'unanimité. L'histoire nous raconte qu'au IVe siècle avant J.-C. Denys, le tyran de Syracuse à qui l'on avait servi le brouet, s'étonnait auprès de son cuisinier de trouver cela aussi mauvais ; Plutarque raconte que ce dernier lui répondit qu'il y manquait l'assaisonnement.

« Lequel ? demanda le tyran. – La fatigue de la chasse, la course au bord de l'Eurotas, la faim et la soif : c'est là ce qui assaisonne le repas des Lacédémoniens. »

Est-ce depuis ce brouet célèbre que la sagesse populaire prétend que la faim peut donner aux choses un goût meilleur ?

LA SOUPE DORÉE DU MOYEN AGE

Puis les soupes évoluèrent. Le Moyen Age est la grande époque des soupes. Comme on adore les épices en ces temps, on en met partout. On relève de gingembre, de cannelle, de clous de girofle, de poivre les soupes à la moutarde, au fenouil, à l'oignon. On aime aussi les soupes de couleur, alors on les colore en jaune avec du safran, en vert avec des herbes, en blanc avec du lait d'amandes. La soupe « dorée » et le potage au riz sont les soupes qui, à l'époque médiévale, ont connu le plus de succès. La soupe dorée était composée de pain grillé, de sucre, de vin blanc, de jaunes d'œufs, d'eau de rose et de safran.

La soupe au riz, quant à elle, sera célèbre près de deux siècles plus tard, pour un fait historique que les Genevois n'ont pas oublié. Convoitée par le duc de Savoie Charles-Emmanuel, Genève échappera à l'assaillant grâce à la soupe au riz jetée sur les soldats par une jeune femme qui savait en découdre, et surnommée pour cela « la mère Royaume ».

La route des épices, et le commerce qui en découla, joua un rôle important dans la cuisine médiévale, innovante à bien des égards, et qui transformera les cuissons.

Bientôt, la soupe entra à la cour, mais devint potage, abandonnant au peuple le vocable, jugé vulgaire. Tandis que c'est de soupe, et même de soupe économique, et non pas de potage, que l'on parle lors des disettes, un méchant bouillon dans lequel cuisaient des herbes, des pois, de la farine d'orge ou de maïs. Lors de la famine de 1870, la soupe des Parisiens était constituée de bouillon et de gélatine.

LA SOUPE ARTIFICIELLE

Pour faire face aux famines et aux disettes, des recherches sont entreprises, non seulement pour trouver un substitut à la farine de blé qui fait le pain, mais aussi pour remplacer le fameux bouillon de la soupe.

A la fin du XIXe siècle, le baron Justus de Liebig, chimiste allemand, réussit à isoler dans un même corps protéines, amidon, sucres et sels.

En 1852 naissaient les potages Liebig. Les protéines de viande étaient remplacées par des protéines extraites d'algues et de tourteaux d'arachide, protéines se rapprochant le plus possible de celles des viandes. Le glutamate de soude donna l'illusion parfaite du goût de la viande.

Depuis se sont développées bon nombre de soupes en sachets sous différentes marques : Knorr, Royco, Lustucru, etc. Elles ne peuvent pourtant en aucune façon remplacer les autres, celles qui mijotent et embaument la maison.

Quant aux tablettes ou cubes, ce sont des extraits de viande de bouillons concentrés qui contiennent aussi des sels minéraux et des aromates. Lorsque l'on manque de temps pour faire un bon bouillon, l'emploi de ces tablettes renforce le goût de certains potages ou soupes.

La conserverie propose aussi toute une gamme de soupes variées en boîtes, idéales pour des dépannages de dernière minute. Quant aux jolies soupes surgelées, elles sont à relever d'un brin de fantaisie au moment du service.

POTAGE OU SOUPE ?

Faut-il parler de soupe ou de potage ? Le mot *sappa,* du francique – vers 1180 –, s'emploie en bas latin ; on le retrouve en néerlandais, avec *sopen,* qui signifie « tremper ». « Potage » est dérivé de « pot », mais ce mot n'apparaît qu'au XIIIe siècle. Nous voilà donc au cœur de la problématique, même si, pour l'historien André Castelot, « dès qu'il y a eu pot il y a eu potage car tout peut être cuit en potage ». Laissons les historiens et les anthropologues à leurs querelles pour noter que le terme de « soupe » désignait la tranche de pain trempée dans le potage ou le bouillon. « Tremper la soupe » signifiait donc « tremper le pain ».

Le bouillon est varié. Il peut être constitué seulement d'eau et de sel, comme au temps des premiers chrétiens, ou coupé de vin. Sous cette forme, il a fait les délices de toute une soldatesque. Ainsi, en campagne, Jeanne d'Arc trempait cinq à six soupes dans une tasse d'argent remplie d'eau et de vin. Du Guesclin, quant à lui, en l'honneur de la Trinité, en dégustait pas moins de trois. Les coutumes populaires ont pris le relais : j'ai toujours vu chez nous mon père jeter une rasade de vin dans sa soupe chaude.

Se substituant l'un à l'autre, « soupe » ou « potage » étaient alors employés indifféremment, tout au moins jusqu'au XVIIIe siècle, où un traité des bons usages de l'époque stipule : « Le bel usage veut qu'on dise potage de santé » ; et le même usage fait que l'on dit, toujours à la cour : « On a servi les potages, on est aux potages », et jamais : « On a servi les soupes, on en est aux soupes. » De cet abandon de la soupe à la rusticité naît la « soupe populaire », et, si la cuillère ne tient pas debout dans cette soupe dont la qualité n'est peut-être pas la densité, sa distribution gratuite n'en est pas moins un acte humanitaire pour beaucoup d'hommes, de femmes et d'enfants affamés.

Base de l'alimentation, on ne saurait mieux dire. Au mois d'août, à Menton, dans les Alpes-Maritimes, à l'occasion d'une fête, une gigantesque soupe au pistou est servie aux habitants. Cette tradition remonterait au Moyen Age. Manquant de nourriture, les habitants mirent en commun ce qu'ils possédaient afin que tous puissent manger. Avec le même souci, la soupe aux haricots ou soupe du Saint-Esprit, à La Croix-sur-Roudoule, toujours dans les Alpes-Maritimes, est une tradition remontant à la même époque qui se perpétuait encore très récemment dans ce minuscule village.

A partir du XVIIe siècle, « soupe » et « potage » auront donc un sens bien défini qui a perduré jusqu'à nos jours. Ainsi, le terme « potage » regroupe les préparations légères, voire sophistiquées, telles que bouillons, consommés, purées, crèmes, veloutés, et celui de « soupe », d'une façon plus large, les soupes paysannes épaisses avec ou sans pain, les pot-au-feu, les potées.

SES LETTRES DE NOBLESSE

Les soupes sont innombrables, riches, variées, somptueuses parfois et dans ce cas, évidemment, nécessitent un temps de préparation en conséquence. Mais le temps, dans cette affaire, n'est pas la condition *sine qua non* de la réussite. Une soupe vite faite ne signifie pas mal faite ; dans sa simplicité elle peut être tout aussi savoureuse qu'une soupe plus longue à préparer.

Au cours des siècles, de grandes figures gourmandes ont inspiré des cuisiniers de renom tels les Audiger, Monthier, Dubois. Inscrits au panthéon de la gastronomie, la crème Du Barry, le consommé Colbert, le consommé Bizet, le potage Sarah-Bernhardt sont des apprêts raffinés qui donneront de l'allure à un menu.

Certes, comme toute période transitoire et dans toute société évoluant, les habitudes alimentaires changent elles aussi. Mais, dans un menu, la soupe a toujours sa place si le rapport entre celle-ci et celui-là est judicieusement établi. Aussi retenons cette belle image de Grimod de La Reynière, et composons le repas autour d'un potage sublime : « Le potage est à un dîner ce qu'est le portique ou le péristyle à un édifice, c'est-à-dire que non seulement il en est la première pièce, mais qu'il doit être combiné de manière à donner une juste idée du festin à peu près comme l'ouverture d'un opéra-comique doit annoncer le sujet de l'ouvrage. »

SES VERTUS NUTRITIVES

Bien avant nos connaissances actuelles en diététique, d'une façon empirique, nos ancêtres avaient découvert les bienfaits nutritionnels de la soupe en y mélangeant le plus possible de principes différents : légumes variés (verts et féculents), viande, riz, céréales, lait, eau, vin, œufs, pain.

Certes, une cuisson prolongée des légumes détruit une partie des vitamines, qui ne sont toutefois pas perdues puisqu'elles passent dans le bouillon et qu'une soupe c'est un tout : bouillon et légumes. Et c'est en consommant ce tout, et non pas une partie de cet ensemble, que notre alimentation trouve son équilibre parmi les divers principes nutritifs qui composent une soupe. Lors de la cuisson des légumes, nous jetons (à tort) l'eau de cuisson, qui contient les sels minéraux et certaines vitamines. On a tout intérêt à conserver cette eau et à l'utiliser pour faire une soupe, mouiller un velouté, un potage-crème. Non seulement nous y gagnerons en sels minéraux, mais aussi en saveur.

Si le bouillon où a cuit une viande de bœuf ou de mouton est succulent, la graisse qu'il contient peut être nuisible à certaines personnes souffrant de problèmes cardio-vasculaires ; d'une façon générale, la consommation abusive de ces graisses est nuisible à tout le monde. Il est conseillé de retirer cet excès de graisse en laissant reposer le bouillon à température ambiante ou au frais. Il se forme à la surface une pellicule de graisse plus ou moins épaisse que l'on retire alors sans problème.

Pour toutes ces raisons, les soupes ne sont pas à reléguer dans le placard aux souvenirs. La mode, c'est ce qui demain sera dépassé, disait le poète. Alors, oublions les modes et ayons pour toute philosophie : faire bon.

L'accompagnement, les garnitures

Pour rendre un potage plus riche, on peut y ajouter des pâtes, du riz, du tapioca, de la semoule, des tranches de pain grillées ou frites, des boulettes de viande, de l'orge perlé, du maïs, des germes de blé, des pois chiches, de fines lamelles d'omelette, du fromage râpé, des herbes et des condiments. Vous pourrez également agrémenter vos soupes avec des garnitures et des sauces que vous ferez vous-même.

LE PAIN

On ne saurait parler de soupes sans parler de pain, puisque autrefois le pain était ces « soupes » que l'on mettait dans le pot. Cette tradition n'a pas vieilli. Rares sont les potages qui n'en comportent pas et, s'il n'est pas l'essentiel de la soupe ou du potage, il en est souvent l'élément de liaison. Quant aux panades, ce sont des soupes de pain.

L'origine de ce pain quotidien est aussi ancienne que notre civilisation. Lorsqu'ils surent broyer les grains de céréales, les hommes mélangèrent la farine grossière à l'eau ou au lait et en firent des bouillies, puis des galettes qu'ils faisaient cuire sur des pierres plates. Cela se passait en Égypte bien avant Jésus-Christ. Un jour, l'un de nos lointains ancêtres chargé de la confection de ces galettes oublia un peu de cette pâte faite de farine et d'eau. Celle-ci s'aigrit et, à la cuisson, la galette gonfla. On constata alors que la galette était plus légère et de digestion plus facile. L'observation de ce phénomène permit de répéter ce que le hasard avait fait découvrir. Le pain levé était né. Les Grecs à leur tour contribuèrent à l'évolution du pain en inventant le four, puis les boulangeries, dans lesquelles ils faisaient 72 sortes de pain qu'ils aromatisaient d'herbes et de graines. Au début de la chrétienté, saint Pratocle se nourrissait de pain d'orge trempé dans de l'eau et salé.

En France, chacun faisait son pain. Puis, dans les villes, la fabrication du pain est confiée au *talemeunier* ou au *boulanger*. Si l'on en fait de toutes sortes, tous ne le mangent pourtant pas, ou en mangent trop peu. Et c'est le pain, non seulement symbole, mais aussi denrée essentielle, qui fait se lever le peuple ; lors des disettes et des famines, c'est le pain que l'on essaie de fabriquer, malheureusement sans succès, avec des farines non panifiables. Parmentier essaie vainement de panifier la farine de châtaigne. C'est un échec. Celle-ci comporte trop de sucre, trop de matières grasses et pas de gluten.

Pour une alimentation équilibrée, le pain est toujours nécessaire, car il apporte glucides, protides, lipides, vitamines et sels minéraux. Et, puisqu'il intervient si généreusement dans nos soupes, voyons comment reconnaître un pain de qualité.

Pour le professeur de boulangerie Raymond Calvel, voici la physionomie que doit avoir un vrai pain qui aura droit à son titre de pain : « Une croûte craquante, bien dorée et sonore quand on frappe avec le doigt, des arêtes bien détachées, une mie blanc crème, élastique sous le doigt et qui reprend sa forme dès qu'on le retire, fine tout en étant bien alvéolée, une bonne odeur de belle farine qui évoque la tiédeur des fournils. »

Il est préférable d'utiliser pour la soupe du pain rassis ayant au moins deux jours. S'il est du jour, afin de lui faire perdre son humidité pour qu'il absorbe mieux le bouillon, il est souhaitable de faire griller des tranches relativement fines.

Il est important aussi de savoir que le goût du potage sera modifié suivant que l'on utilise du pain de seigle, du pain de campagne ou du pain viennois.

Le pain se compose de :
– 100 parties de farine ;
– 60 parties d'eau ;
– 2 parties de sel ;
– 1 ou 2 parties de levure.

LES CÉRÉALES

Ce sont des graminées qui ont considérablement marqué l'histoire de l'humanité. Riches en substances nutritives, leur usage est très varié.

• *Avoine*

La graine de cette céréale n'est pas panifiable. Elle est utilisée sous forme de crème, de flocons, et sert à préparer les potages et les bouillies. Elle est riche en phosphore, en fer et en vitamines.

• *Blé ou froment*

Autrefois, le grain ne donnait que la farine et le son. De nos jours, grâce à la sophistication des machines, la multiplication des opérations de mouture donne différentes farines se caractérisant par une plus ou moins grande blancheur, allant de la farine blanche à la farine bise.

• *Épeautre*

Variété de blé aux grains petits et bruns dont la valeur nutritive est égale à celle du blé. On l'utilise en Provence.

• *Maïs*

Il est originaire d'Amérique latine et on l'appelle « blé de Turquie ». La farine est obtenue en faisant sécher les grains à l'air. Elle est très utilisée dans le midi de la France et en Italie. On la consomme aussi sous forme de flocons dans les potages.

• *Millet*

Le millet fut très employé dans l'Antiquité. L'espèce sorgho ou mil est très utilisée en Afrique sous forme de bouillies.

• *Orge*

Quoique pauvre en gluten, on en fit quand même autrefois un pain d'orge (mélangée à la farine de blé), mais lourd et peu digeste. Le grain d'orge est utilisé sous forme d'orge mondé, d'orge perlé, de farine et de flocons, pour la préparation de potages, de crèmes, de bouillies.

• *Riz*

C'est la céréale la plus cultivée après le blé : mais quel riz choisir quand des dizaines de variétés s'offrent à nous ? Du riz à grain long ou à grain rond ? Du riz prétraité, du riz blanchi ou du riz complet ? Chacun a son intérêt diététique et souvent spécifique.

Le riz paddy – C'est le riz enveloppé de ses balles.

Le riz cargo – Il est simplement débarrassé de ses balles, et est de couleur brune. C'est le riz brun ou complet.

Le riz blanchi – Il est débarrassé des issues (ou sons) qui se trouvent sous les balles.

Le riz poli – Après le blanchiment, il subit un traitement approprié pour supprimer les farines qui adhèrent au grain.

Le riz glacé – Il a subi les traitements précédents, puis il est poli et glacé en étant enrobé de glucose pour se voir donner une apparence brillante. Cela a pour effet de lui enlever une grande partie de ses matières grasses et de ses sels minéraux. C'est le riz blanchi traditionnel.

Le riz étuvé ou prétraité – Pour qu'il ne colle pas, on fait subir au riz paddy un étuvage après trempage. Au cours de cette opération, les vitamines et certains minéraux, au lieu d'être détruits, comme dans les précédents traitements, se diffusent à l'intérieur du grain. Il est ensuite décortiqué et blanchi. La cuisson de ce riz plus riche en vitamines est un peu plus longue. Il faut compter 20 à 25 minutes.

Le riz précuit – La précuisson présente l'avantage de réduire considérablement la cuisson puisque celle-ci est ramenée à 5 minutes. Cette précuisson se fait avec des riz ronds, blanchis, que l'on cuit à la vapeur et que l'on sèche ensuite.

Les grains ronds – Ils sont opaques et d'une longueur inférieure à 6 mm. Ils sont riches en amidon ; tendres et moelleux, ils conviennent parfaitement à la préparation des desserts et des soupes. S'ils ne sont pas précuits, il faut compter 12 à 13 minutes de cuisson.

Les grains longs – Ils sont légèrement translucides et leur longueur varie de 6 à 8,5 mm. Le grain dur a une faible teneur en amidon, ce qui favorise le détachement des grains à la cuisson. Il convient parfaitement aux salades de riz et à toutes les préparations où le grain doit être détaché.

L'art de faire cuire le riz – A la créole : lavez le riz à l'eau froide afin d'éliminer une partie de l'amidon, égouttez-le. Faites bouillir de l'eau salée et jetez le riz dedans. Laissez cuire à découvert suivant la variété de riz choisie pendant 12 à 20 minutes.

Pilaf : faites revenir tout doucement le riz sans le faire brunir dans un corps gras (huile, margarine ou beurre), et ajoutez de l'eau de façon à le recouvrir mais sans excès. Lorsque les grains auront absorbé l'eau, le riz est cuit.

Au lait : plongez le riz dans de l'eau bouillante pendant 2 à 3 minutes de façon à éliminer l'amidon. Égouttez-le et terminez la cuisson dans le lait bouillant. Si vous faites du riz sucré, ajoutez le sucre en fin de cuisson.

• *Sarrasin ou blé noir*

Cette céréale n'est pas panifiable. On l'emploie surtout pour la confection de bouillies, de galettes, de crêpes.

• *Seigle*

La farine de seigle est de couleur bise et donne un pain noir. Elle est moins digeste que le pain blanc, aussi on la travaille dans des proportions de 50/50 avec la farine de blé.

LES FARINES, LES FÉCULES, LES GRAINS

• *Arrow-root*

Cette fécule provient de rhizomes de différentes plantes que l'on cultive aux Antilles, en Inde et à Madagascar. Elle est très fine et sert à préparer des bouillies, des entremets.

• *Crème de riz*

Elle est obtenue par broyage de brisures de riz très blanches.

• *Farine de châtaigne*

A l'exception de la Corse, la farine de châtaigne est peu utilisée. Une fois les châtaignes séchées selon la méthode traditionnelle (au feu de bois) ou au séchoir à air pulsé, puis débarrassées de leurs peaux, elles sont amenées au moulin. Cette farine est délicatement sucrée.

• *Fécule de pomme de terre*

Elle est extraite de pommes de terre féculières.

• *Kacha*

Extrait du sarrasin, ce grain est très employé en Russie.

• *Maïzena*

On extrait du maïs corné un amidon très pur, la Maïzena, que l'on utilise pour les potages, les sauces, la pâtisserie.

• *Sagou*

Il est extrait de la moelle de certains palmiers d'Océanie. Il est de couleur jaunâtre, fort utilisé en pâtisserie et dans les potages. On le recommande pour certains régimes.

• *Salep*

Originaires d'Asie, ces petits tubercules translucides, de couleur jaunâtre, proviennent de différents orchis. Après la cueillette, ils sont séchés au soleil. On extrait alors la fécule et un mucilage très utilisé dans les potages.

• *Tapioca*

De la racine du manioc, plante d'Amérique équatoriale, on extrait des sucs qui, à la suite de différentes opérations, donnent le tapioca.

LES LÉGUMINEUSES

Parlons d'elles comme de « viande de sage » et non plus comme de « viande de pauvre ». Elles ont un grand intérêt nutritif et des propriétés exceptionnelles. Cependant, il peut arriver que certaines personnes les digèrent mal. Pour éviter cet inconvénient, il est nécessaire de les faire cuire parfaitement et d'ajouter l'aromate qui convient le mieux. Le trempage est nécessaire pour certaines d'entre elles.

Légumineuses	Aromates	Trempage	Cuisson
Fèves entières	Sarriette	4 à 5 h	1 à 2 h
Haricots	Sarriette ou sauge	12 h	1 à 2 h selon la grosseur
Lentilles	Oignon piqué de clous de girofle	Non	20 mn à 1 h selon la variété
Pois cassés	Bouquet garni classique : thym, persil, laurier	Non	45 mn à 1 h
Pois chiches	Sauge ou romarin	12 h	2 h
Soja		16 à 24 h	3 h

LA VIANDE : MORCEAUX CHOISIS

Que ce soit dans le bœuf, le porc, le veau, le mouton, le morceau de viande choisi ne devra pas cuire à gros bouillons. Certains morceaux sont plus goûteux que d'autres et, à la cuisson, la viande reste plus moelleuse. Les viandes à bouillir présentent l'avantage non négligeable d'être beaucoup moins chères que les morceaux de choix à rôtir, griller ou poêler. Les morceaux à bouillir sont aussi des morceaux que l'on fait mijoter ou braiser. Les morceaux de viande qui cuiront en entier devront être ficelés.

Si vous voulez obtenir un bouillon à forte saveur, vous mettrez la viande à cuire dans de l'eau froide. Par contre, si vous préférez que la viande conserve tous ses sucs et donc sa saveur, vous la mettrez dans l'eau bouillante. Mais, quelle que soit la méthode choisie, vous écumerez plusieurs fois en début de cuisson, de façon à ce que l'amertume de l'écume ne se communique pas au reste du bouillon.

• Le bœuf

Les morceaux goûteux et moelleux car gélatineux : gîte-gîte, jumeau, macreuse gélatineuse, découvert, queue.

Les morceaux un peu gras : poitrine, tendron, flanchet, plat de côtes, bavette grasse, charolaise.

Les morceaux maigres : bavette maigre, macreuse, paleron.

Un os à moelle donne plus de saveur et d'onctuosité au bouillon.

• Le veau

Les morceaux maigres : jarret avant, quasi (mais ces morceaux sont beaucoup plus chers).

Les morceaux moelleux : tendron, flanchet, haut de côtes, jarret arrière. Lorsque le jarret est utilisé entier, il est préférable de pratiquer quelques incisions sur la peau.

• Le mouton

D'une façon générale, la viande de mouton est grasse. Les morceaux les moins chers sont le collier, le haut de côtelette, la poitrine. L'épaule, beaucoup plus chère, est employée avec l'os ou roulée.

• Le porc

Rien ou presque ne se perd dans le porc, ce garde-manger ambulant. Les morceaux à bouillir sont nombreux.

Les morceaux un peu gras, moelleux : travers, jambon (partie supérieure de la jambe arrière) qui doit cuire avec sa couenne, échine, palette, plat de côtes.

Les morceaux gélatineux : jarret ou jambonneau (morceaux situés entre le pied et le jambon arrière), pied et épaule pour l'avant. Ils sont moins charnus que le jarret arrière.

Le petit salé : ce sont des viandes prises dans le jarret, la poitrine, le plat de côtes, et qui ont été salées. Le temps de dessalage, qui est fonction de la durée de salaison, peut varier de 1 heure à plusieurs heures.

FAITES VOS GARNITURES

● **Crêpes**

125 g de farine, 1 œuf, 25 cl de lait, beurre, sel

Battez l'œuf dans une terrine. Ajoutez un peu de farine, délayez avec un peu de lait.

Rajoutez de la farine, du lait, en battant vigoureusement à chaque adjonction de lait et de farine. En procédant ainsi, vous n'aurez pas de grumeaux. Salez.

Faites chauffer une poêle. Mettez 1 noisette de beurre et faites vos crêpes.

● **Pâtes fraîches**

600 g de farine, 4 œufs, 1/2 verre d'eau, sel

Mettez la farine dans une terrine, faites une fontaine au milieu et mettez les œufs, le sel et l'eau. Mélangez rapidement le tout jusqu'à ce que la pâte soit ferme et souple et ne colle plus aux doigts.

Rajoutez un peu de farine si nécessaire. Laissez reposer la pâte 1 heure environ.

Étendez le tiers de cette pâte au rouleau en une abaisse très fine de 1 à 2 mm. Saupoudrez de farine. Repliez cette abaisse sur elle-même et découpez des tronçons de 5 mm environ. Déroulez-les aussitôt et placez les pâtes sur une serviette farinée. Continuez ainsi avec le reste de la pâte.

Pour les faire cuire, plongez-les dans de l'eau bouillante salée à laquelle vous ajoutez 1 cuillerée à soupe d'huile pour éviter que les pâtes ne collent. Lorsqu'elles remontent à la surface (temps variable selon l'épaisseur), elles sont cuites. Égouttez-les.

● **Profiteroles**

Ces petits choux salés remplis de farce de poisson ou de viande, de purée de marrons, peuvent être servis avec des consommés, des veloutés ou des potages.

150 g de farine de blé, 125 g de beurre, 3 ou 4 œufs (selon leur grosseur), 25 cl d'eau, 1 cuillerée à café rase de sel

Mettez l'eau, le sel, le beurre coupé en morceaux dans une casserole. Faites chauffer doucement.

Quand le beurre est fondu, ajoutez la farine tamisée. Mélangez vigoureusement hors du feu pour éviter la formation de grumeaux.

Remettez à feu doux et tournez jusqu'à ce que la pâte, bien compacte, se détache des parois de la casserole.

Retirez du feu. Ajoutez les œufs un à un. Fouettez vivement entre chaque adjonction. La pâte ne doit pas être liquide, mais former un ruban bien homogène. Le quatrième œuf n'est à ajouter qu'en cas de nécessité.

Beurrez une plaque allant au four et, avec une cuillère à soupe, déposez des petits tas de pâte en les espaçant. Faites-les cuire à four moyen pendant 30 minutes.

Évitez d'ouvrir la porte du four pendant les 15 premières minutes afin que les choux ne s'affaissent pas.

Garnissez-les d'une farce de votre choix.

• *Quenelles*

Qu'elles soient au poisson ou à la viande, la base des quenelles est une panade à la farine, au pain ou à la pomme de terre, à laquelle on ajoute ensuite le hachis.

• *Panade à la farine*

150 g de farine, 50 g de beurre, 30 cl d'eau, sel

Mettez dans une casserole l'eau, le beurre et le sel.

Lorsque l'eau bout, versez la farine tamisée et réduisez le feu. Mélangez avec une spatule de bois et, sans cesser de tourner, conduisez la cuisson jusqu'à ce que la pâte se détache des parois de la casserole.

Laissez refroidir.

• *Panade au pain*

250 g de mie de pain blanc, 30 cl de lait, sel

Faites bouillir le lait, puis trempez-y la mie de pain. Écrasez avec une fourchette et versez le tout dans une casserole.

Desséchez la panade à feu doux jusqu'à ce qu'elle se détache des parois de la casserole.

Laissez refroidir.

• Quenelles de poisson

250 g de chair de brochet (ou d'un autre poisson), 250 g de graisse de rognon de bœuf, 2 blancs d'œufs, 250 g de panade, sel, poivre

Dans un mortier, pilez la graisse avec la panade. Ajoutez les blancs d'œufs.

Retirez la peau et les arêtes du brochet et hachez-le. Ajoutez-le aux autres ingrédients et continuez à piler pour bien homogénéiser le tout. Salez, poivrez, et passez la pâte au tamis fin.

Formez les quenelles à la cuillère ou roulez-les dans le creux des mains. Pochez-les pendant 8 à 10 minutes dans de l'eau salée frémissante.

• Quenelles à la viande

Remplacez le poisson par du veau ou du blanc de volaille, puis procédez de la même manière que pour les quenelles de poisson.

• Raviolis

500 g de farine, 1 œuf, 1/2 verre d'eau, 2 cuillerées à soupe d'huile de tournesol, sel

Pour la farce : *2 kg environ d'épinards, 6 carrés de fromage frais, 2 œufs, 50 g de fromage râpé, sel*

N.B. : la farce qui compose les raviolis est soit au maigre, soit au fromage, soit à la viande.

Nettoyez, lavez les épinards et faites-les cuire 10 minutes dans de l'eau bouillante salée. Égouttez-les et pressez-les pour en extraire le maximum d'eau.

Hachez-les finement avec le hachoir à la main. Mettez-les dans une terrine avec le fromage écrasé, les œufs battus, le fromage râpé et le sel. Mélangez intimement le tout.

Étendez la pâte au rouleau sur une planche farinée. Avec la roulette dentelée à pâtisserie, découpez des bandes larges de 8 cm. Disposez sur ces bandes des cuillerées de farce en les espaçant.

Repliez la bande et, avec la roulette, découpez chaque ravioli sur 4 cm de large environ. Soudez les bords en les pinçant, et en ajoutant un peu d'eau si nécessaire.

Faites-les cuire dans de l'eau bouillante salée.

Dès qu'ils remontent à la surface, ils sont cuits ; retirez-les alors avec une écumoire.

LES HUILES

Une petite giclée d'huile dans une soupe ou un potage tout simple en relève le goût et a un intérêt évident sur le transit intestinal. On recense plus d'une douzaine d'huiles, mais, très arbitrairement, nous en retiendrons trois.

• **Huile de noix**

Elle est délicieuse et a un délicat parfum de noix. Très utilisée dans le Périgord et en Anjou, elle est vendue en petites bouteilles car elle rancit vite une fois la bouteille ouverte.

• **Huile d'olive**

On n'en finit pas de louer ses vertus depuis l'Antiquité. Cette huile très fruitée, produite dans plusieurs pays du bassin méditerranéen, dont le sud de la France, est vendue sous diverses appellations :
 – vierge (extra : taux d'acidité ne dépassant pas 1 % ; fine : taux d'acidité ne dépassant pas 1,5 % ; semi-fine ou courante au goût moins prononcé : taux d'acidité ne dépassant pas 3,3 %) ;
 – pure : l'huile d'olive vierge est coupée d'huile raffinée.

• **Huile de sésame**

Elle faisait concurrence à l'huile d'olive dans l'Antiquité. Elle a un goût très fin de noisette grillée. L'Orient et l'Asie l'utilisent beaucoup.

LES HERBES ET LES CONDIMENTS

Suivant les régions, ils entrent dans la composition de certaines soupes et de bien d'autres mets. Ils excitent le goût et l'odorat ; cependant, il faut les utiliser avec parcimonie afin de ne pas masquer la saveur originale de la soupe.

• **Ail**

C'est l'ami de la cuisine provençale. Sans lui, pas de bourride, ni d'aïoli, et ce serait triste comme un jour sans soleil. Certains tolèrent mal cette plante à bulbe, et l'on ne saurait trop conseiller de retirer le germe qui se trouve à l'intérieur de la gousse.

• *Aneth*

Il ressemble beaucoup au fenouil sauvage, mais ses feuilles sont moins anisées que celles du fenouil. Il pousse avec générosité dans le midi de la France, et plus particulièrement en Corse. Il est aussi très utilisé en Russie, où l'on emploie couramment ses graines et ses tiges.

• *Badiane ou anis étoilé*

Vous l'aviez deviné, le goût de ce fruit est… anisé. Il est aussi utilisé en infusion, dans les liqueurs et en pâtisserie.

• *Basilic*

Cette plante originaire d'Inde a conquis depuis longtemps le midi de la France ; il n'est d'ailleurs pas rare, dans cette région, de voir sur les rebords des fenêtres maints pots de basilic. En effet, sans le basilic, la soupe au pistou n'existerait pas. Les feuilles sont plus ou moins larges, et leur parfum est très pénétrant.

• *Cannelle*

Il s'agit de l'écorce de cannelier, arbre que l'on trouve à Ceylan et en Chine. L'écorce, de couleur ocre doré, est enroulée sur elle-même ; elle a une saveur sucrée et chaude. On trouve la cannelle dans le commerce en bâtonnets ou en poudre.

• *Carry, curry ou cari*

Cette poudre, que l'on croit issue d'une seule plante, est en fait un mélange qui peut varier suivant les régions. Il y entre de la coriandre, du cumin, du curcuma, du gingembre, du poivre noir, des piments.

• *Carvi*

On l'appelle le « cumin des prés ». Sa saveur ressemble à celle du fenouil. On utilise aussi bien les graines que les tiges.

• *Cayenne (poivre de)*

C'est le « piment frutescent », fruit d'une plante originaire d'Amérique. On l'appelle aussi « piment enragé ». C'est un condiment âcre et aromatique, qu'il est préférable d'ajouter en fin de cuisson afin de ne pas dénaturer son goût.

• Céleri en branche

Suivant les préparations, on utilise les côtes ou bien les feuilles de cette plante au fort parfum aromatique. Elle est la forme cultivée de l'ache des marais, laquelle était particulièrement prisée des Romains.

• Cerfeuil

Cette plante potagère aux feuilles fines et légères est très riche en vitamines. Il vaut mieux éviter de la faire cuire, sous peine de voir s'atténuer son goût pourtant prononcé.

• Ciboule, ciboulette

Elles sont voisines de l'oignon, mais d'un goût moins prononcé. Dans le midi de la France, les feuilles de la ciboulette (ou cébette) sont aussi utilisées dans les salades.

• Coriandre

Par sa forme, elle évoque un peu le fenouil. Les graines sont très utilisées en Extrême-Orient. Elles entrent dans la composition du curry.

• Cumin

C'est une ombellifère qui croît sur les rivages méditerranéens ainsi qu'en Orient. Ses petites graines brunes ont une saveur âcre et forte ; elles servent à parfumer certaines liqueurs, certains fromages et le pain parfois.

• Curcuma

La chair jaune de ce rhizome, que l'on réduit en poudre, est âcre et amère. Son odeur n'est pas sans rappeler celle du safran et du gingembre. Le curcuma entre dans la composition de la moutarde anglaise.

• Estragon

Il parfume délicieusement, mais il vaut mieux utiliser avec parcimonie cette « fine herbe » au goût fort.

• Fenouil

Cette plante sauvage de la famille des ombellifères se trouve en abondance sur les côtes méditerranéennes. Tout se mange : tige, feuilles et graines. L'autre, le « fenouil de Florence », au bulbe renflé et au goût fortement anisé, se mange cru, en salade ou braisé.

• *Genièvre*

C'est le fruit d'un arbrisseau sauvage qui pousse un peu partout. Les petites baies d'un bleu violet sont utilisées dans la confection des pâtés de grive, de merle, ainsi que dans la choucroute et certains alcools.

• *Gingembre*

Plante tropicale dont on utilise le rhizome. Les tubercules sont plus ou moins gros et recouverts d'une peau gris jaunâtre. Le gingembre est très odorant et très fort, c'est pourquoi il faut l'utiliser en petites quantités. On le trouve dans le commerce en poudre, séché ou frais. C'est sous cette dernière forme qu'il est le plus odorant.

• *Girofle (clou de)*

C'est la fleur du giroflier (bouton desséché), cultivé aux Antilles. Sa saveur piquante, son fort arôme parfument à merveille le pot-au-feu. On l'utilise aussi en pâtisserie et dans certaines liqueurs.

• *Glutamate*

C'est un sel obtenu avec des végétaux, que l'on utilise comme second sel. Il est très employé en Asie.

• *Herbe à tortue*

Ce mélange d'herbes aromatiques se compose de basilic, de marjolaine et de thym et sert à aromatiser la vraie soupe à la tortue.

• *Ketchup*

Cette sauce très appréciée des Anglais, que l'on trouve toute prête dans le commerce, est composée de champignons, de thym, de laurier, de gingembre, de marjolaine, de tomate, de sel, de poivre et d'épices.

• *Kummel*

Cette liqueur est faite avec des graines de carvi.

• Kwas

C'est une boisson fermentée, peu alcoolisée, à base de levure, de moût, de farine de seigle et d'orge.

• Laurier

Ce sont les feuilles du laurier-sauce que l'on utilise pour parfumer. Avec le persil et le thym, il compose le bouquet garni.

• Macis

C'est l'enveloppe de la noix muscade, à la saveur proche de la cannelle.

• Marjolaine et origan

Tous deux se ressemblent fort. L'origan a toutefois un goût plus prononcé. Ils sont très utilisés dans le midi de la France et sur le pourtour méditerranéen.

• Menthe

Il existe plusieurs sortes de menthe. La menthe pouliot et la menthe poivrée sont les plus utilisées en cuisine. Mais toutes ont ce merveilleux parfum de fraîcheur reconnaissable entre tous.

• Moutarde

Les graines jaune rougeâtre donnent la moutarde blanche, les graines rouge noirâtre la moutarde noire. On trouve l'une et l'autre sous la forme de pâte ou de poudre.

• Muscade

La graine, ou noix muscade, est produite par le muscadier, arbre qui croît dans les pays chauds. La noix, qui a la grosseur d'une noix ou d'une noisette, est dure ; elle doit être râpée.

• Nuoc-mâm

Cette sauce asiatique indispensable à la cuisine chinoise et vietnamienne est une saumure de poisson. Il faut l'utiliser avec modération et ne pas trop saler les plats avec lesquels on l'utilise.

• Oignon

Il est de tous les plats et de toutes les sauces (ou presque), et il a le pouvoir de nous faire vite oublier les larmes que l'on a versées en l'épluchant.

• Paprika

Cette poudre rouge à la saveur légèrement âcre provient d'un piment doux. C'est le condiment indispensable de la goulache, plat national hongrois, et de bien d'autres plats.

• Pâte à piment

On la trouve toute prête dans les boutiques de produits asiatiques. Elle se compose de piments rouges, de gingembre, d'oignon, de sel. On la conserve dans un petit bocal et on la recouvre d'huile.

• Persil

Il existe plusieurs variétés de persil : le persil commun, le persil frisé et le persil à grosse racine. Le persil commun, ou plat, a le plus de goût ; le frisé n'a de persil que le nom. Quant aux racines de persil, elles se préparent et s'utilisent comme le céleri-rave.

• Poivre

On le trouve en Asie tropicale et dans l'Amérique équatoriale. Il existe deux sortes de poivre, toutes deux fruits du poivrier. Le poivre noir est beaucoup plus aromatique que le poivre blanc ; mais l'un comme l'autre gagnent à être moulus au moment de leur utilisation.

• Quatre-épices

Il s'agit bien d'une seule plante et non de quatre plantes, comme son nom pourrait le laisser supposer. Lorsque les fruits de cette herbacée sont réduits en poudre, leur parfum rappelle celui de la girofle, du gingembre, de la muscade et du poivre.

• Raifort

La racine de cette plante est de saveur âcre et piquante. On l'utilise râpée.

• Romarin

Il pousse en Provence, et ses feuilles longues et étroites, qui deviennent dures en séchant, ont un arôme fort et parfumé.

• Safran

Le safran est une plante bulbeuse originaire d'Orient dont on utilise les stigmates floraux que l'on réduit en poudre. Il a une belle couleur rouge orangé et il faut se méfier des falsifications toujours possibles. Cent quarante mille stigmates sont nécessaires pour obtenir 1 kg de safran, ce qui explique le prix exorbitant de cette épice.

● *Sarriette*

C'est une plante sauvage qui pousse en Provence. Sa saveur aromatique rappelle celle du thym.

● *Sauge*

Sa saveur est un peu amère. Elle accompagne les rôtis de porc, les farces, les marinades. On l'utilise aussi en infusion.

● *Soja (sauce)*

On trouve cette sauce toute prête dans le commerce. Elle se compose de fèves de soja, de gingembre et de purée d'anchois.

● *Souci*

Les boutons des soucis des marais peuvent être confits au vinaigre, tout comme des câpres. Les pétales, qui sont comestibles, servent à quelques préparations.

● *Thym*

Il pousse librement en Provence, mais on le cultive également. Il est le compagnon intime du persil et du laurier. Son arôme fort oblige à l'utiliser avec parcimonie.

Consommé de céleri
(voir recette page 48)

Consommé aux royales
(voir recette page 61)

LES SAUCES

Chaudes, elles servent à la confection des potages-crèmes et des potages veloutés. Froides, elles sont servies en accompagnement des pot-au-feu, de toute soupe comportant des morceaux de viande, et bien sûr de la fameuse soupe de poissons.

• Rouille

Cet élément indispensable de la soupe de poissons comporte des variantes. Cependant, les puristes n'y mettent pas de jaune d'œuf.

2 petits piments rouges frais ou secs, 1 gousse d'ail, 1 cuillerée à soupe de mie de pain trempée dans le bouillon (ou 1 petite pomme de terre cuite), 2 cuillerées à soupe d'huile d'olive, 1 foie de rascasse (facultatif), sel, poivre

Si vous utilisez des piments secs, faites-les tremper dans de l'eau froide pendant quelques heures.

Pilez les piments et l'ail dans un mortier. Ajoutez la mie de pain ou la pomme de terre écrasée, le sel, le poivre, éventuellement le foie pilé, et montez cette sauce avec l'huile d'olive.

• Sauce Béchamel

50 g de beurre, 40 g de farine ou de crème de riz, 25 cl de lait, sel, poivre

Faites un roux : mettez le beurre à fondre à feu doux dans une casserole sans laisser colorer ; ajoutez la farine et mélangez bien.

Mouillez progressivement avec le lait froid en tournant constamment à la spatule. Laissez cuire quelques minutes. Salez.

Lorsque la sauce commence à épaissir, retirez-la du feu. Ajoutez le poivre.

• Sauce mayonnaise

1 jaune d'œuf, 1 cuillerée à café de moutarde, 25 cl d'huile de tournesol, le jus de 1/2 citron, sel, poivre

Mettez dans un bol le jaune d'œuf, la moutarde, le sel, le poivre. Mélangez avec une fourchette et, sans cesser de tourner, versez l'huile, d'abord goutte à goutte, puis ensuite en un filet fin lorsque la mayonnaise a pris. Ajoutez le jus du citron lorsque celle-ci est terminée.

• *Sauce ménagère*

Ajoutez 2 jaunes d'œufs à la sauce veloutée ci-dessous.

• *Sauce ravigote*

4 cuillerées à soupe d'huile d'olive, 1 cuillerée à soupe de vinaigre de vin (ou de cerise, de framboise, de pêche, etc.), 1 cuillerée à soupe d'un mélange de câpres, persil, estragon, cerfeuil, ciboulette, sel, poivre

Hachez tous les ingrédients et ajoutez-les à la sauce vinaigrette. Salez, poivrez.

• *Sauce veloutée*

50 g de beurre, 40 g de farine ou de crème de riz, 25 cl de bouillon, sel

Le principe de cuisson est le même que celui de la béchamel : faites un roux (voir Sauce Béchamel, p. 33), mouillez avec le bouillon sans cesser de tourner, salez.

QUEL VIN BOIRE AVEC UNE SOUPE ?

L'usage veut qu'avec la soupe on ne serve pas de vin, mais seulement de l'eau. Et pourtant... il entre parfois avec une telle insistance dans sa composition que ne pas en servir serait alors une hérésie. Qu'est-ce donc en effet que « faire chabrot », en auvergnat et dans le Sud-Ouest, si ce n'est terminer sa soupe avec une lampée de vin ?

Alors qu'il ne reste qu'un fond de soupe dans l'assiette, on y verse une rasade de vin et l'on boit à même l'assiette. Et que seraient sans lui les bouillabaisses, les bisques, les cotriades et les consommés au vin ?

Le vin dans la soupe a des origines fort anciennes. Si l'on remonte dans l'Antiquité, on découvre du vin dans le brouet des Lacédémoniens. La soupe de Jeanne d'Arc partant en campagne comprenait du vin. De même, les chevaliers prenaient des soupes au vin avant d'aller au combat.

Sous l'Ancien Régime, un verre était bu après le potage : c'était le « coup d'après », autrement dit le second ; le premier étant bu avant de passer à table dans le salon de l'hôte.

La meilleure des règles – s'il doit y en avoir une – est de laisser à disposition sur la table une carafe d'eau et de servir le même vin que celui qui entre éventuellement dans la préparation de la soupe. Si elle n'en contient pas et que vous vouliez en servir, voici quelques suggestions en fonction des diverses soupes.

● *Avec les consommés*

Le même vin que celui qui a servi à la préparation du consommé ou un léger vin de carafe.

● *Avec les potages*

Un vin blanc sec ou un vin rosé d'excellente qualité. Ou encore un vin blanc parfumé ou rosé (alsace, anjou) pour accompagner les potages à base de volaille.

● *Avec le pot-au-feu et les soupes de terroir*

Un vin rouge jeune (bandol, côtes-du-rhône, de Loire) ou un vin jeune du même terroir que la soupe.

● *Avec les soupes de poissons*

Le même vin blanc que celui qui est dans la soupe, mais aussi des vins rosés du littoral varois, de la Corse et des blancs du littoral atlantique (muscadet, graves).

● *Avec les bisques*

Le même vin blanc que celui qui a servi à la préparation de la bisque, ou un meursault.

Les ustensiles culinaires

Ils sont indispensables, mais il est probable que votre batterie de cuisine en comporte une partie déjà. Voici donc ces éléments, bien utiles pour constituer la batterie ou pour la compléter :

– 1 autocuiseur ;
– bols de diverses tailles ;
– casseroles ;
– cocottes ;
– 1 chinois (ou 1 tamis) ;
– 1 couteau économe ;
– couteaux pointus de diverses tailles ;
– 1 écumoire ;
– 1 fouet ;
– 1 louche ;
– 1 moulin à légumes avec plusieurs grilles* ;
– 1 mortier et son pilon ;
– 1 passoire ;
– 1 pinceau ;
– poêles diverses ;
– 1 presse-purée ;
– 1 râpe ;
– 1 rouleau à pâtisserie ;
– saladiers de diverses tailles ;
– 1 soupière ;
– 1 jeu de spatules ;
– 1 verre gradué.

---

* Lorsque nous utilisons la grille extra-fine du moulin à légumes, nous employons le terme « tamis ».

Trucs et astuces

LA CONSERVATION

Vous pouvez conserver le surplus de vos soupes et potages au congélateur en employant pour cela des barquettes d'aluminium ou des bocaux.

Il est intéressant de conserver l'excédent de bouillon pour la confection des potages ou des sauces.

La stérilisation est aussi un bon procédé de conservation, qui demande des manipulations d'hygiène strictes et des temps de stérilisation précis. Elle se fait dans des bocaux fermant hermétiquement.

LA CUISSON

Les soupes peuvent être faites en autocuiseur. Si vous adoptez ce mode de cuisson, le temps doit être réduit des deux tiers. Mais il est important de savoir que dans certaines soupes, comme les pot-au-feu, légumes et viande ne se mettent pas ensemble au même moment. Cela nécessite plusieurs manipulations de l'autocuiseur – évacuation de la vapeur, ouverture et fermeture, remise en route –, ce qui réduit finalement le gain de temps. Pour les soupes qui cuisent d'une traite et sont ensuite passées, l'autocuiseur est fort pratique.

N'oubliez pas que la soupe doit toujours être servie brûlante et dans des assiettes chaudes !

L'EAU

Une bonne eau est pure et équilibrée, raisonnablement chargée en sels calcaires, en sels minéraux, carbonates, phosphates, etc. Une eau trop chargée en calcaire est dite « crue » et ne convient pas bien à la cuisson des légumes.

Parée de vertus pendant longtemps, l'eau de pluie est de plus en plus chargée d'impuretés présentes dans l'atmosphère. L'eau idéale, évidemment, reste l'eau de source naturelle. A défaut, l'eau de ville traitée fera l'affaire, malgré son goût de chlore plus ou moins prononcé.

LES PROPORTIONS

D'une manière générale, 1 l d'eau suffit pour 4 personnes. Mais la soupe, qui se conserve bien au réfrigérateur, est souvent préparée pour 2 ou 3 jours. Les proportions que j'ai adoptées dans les recettes correspondent à un repas de 8 personnes ou à 2 repas de 4 personnes. Suivant votre goût, vous pouvez augmenter ou réduire les proportions du liquide sans que cela nuise à la soupe.

POIDS ET MESURES

Nous donnons les proportions de différentes garnitures pour 1 l de consommé ou de potage (ces mesures sont des mesures moyennes, que l'on peut augmenter suivant que l'on aime le potage plus ou moins épais) :
– perles du Japon : 40 g ;
– sagou : 65 g ;
– salep : 65 g ;
– semoule : 35 g ;
– tapioca : 65 g ;
– vermicelle : 60 g.

A titre d'indication, voici quelques équivalences de poids que l'on obtient en utilisant cuillères à café et à soupe.

INGRÉDIENTS	1 cuillerée à café	1 cuillerée à soupe
Farine	5 g	15 g
Fécule de pomme de terre	5 g	15 g
Riz	8 g	20 g
Sel fin	8 g	20 g
Sel gros	8 g	20 g
Semoule	4 g	12 g
Tapioca	5 g	15 g
Salep	5 g	15 g

RÉALISATION

Le nom de la recette est suivi d'un symbole indiquant sa difficulté, ainsi que du temps nécessaire à sa préparation et à sa cuisson :

🍲 : facile ;

🍲🍲 : assez difficile ;

🍲🍲🍲 : difficile.

N.B. : pour certaines recettes, « Préparation » et « Cuisson » font apparaître deux indications de durée. Les premiers chiffres indiquent les temps nécessaires à la préparation et à la cuisson du consommé ; les seconds correspondent aux temps de préparation et de cuisson de la soupe proprement dite. Dans le cas où vous employez un consommé tout prêt, ne considérez donc que les seconds chiffres.

Lorsque, dans les ingrédients d'une recette, nous mentionnons « bouillon » sans autre indication, vous avez le libre choix : vous utilisez soit une eau de cuisson de légumes que vous avez conservée, soit une tablette de bouillon concentrée achetée dans le commerce.

Petit lexique culinaire

Abaisse – Pâte amincie au rouleau à pâtisserie.

Appareil – Ensemble des éléments composant une préparation.

Blanchir – Faire bouillir les légumes dans de l'eau salée pour les cuire, enlever leur âcreté, ou encore pour les éplucher plus facilement. De la même manière, on blanchit certaines viandes pour les raffermir.

Blondir – Faire rissoler viandes ou légumes dans un corps gras.

Brider – A l'aide d'une aiguille à brider ou d'une ficelle, attacher les pattes et les ailes d'une volaille.

Brunoise – Légumes détaillés en minuscules dés.

Chiffonnade – Laitue, oseille détaillées en fines lamelles et parfois fondues au beurre.

Chinois – Passoire conique au fin filet métallique utilisée pour les sauces.

Clarifier – Rendre plus limpide un bouillon, un fond ou un jus en le passant au travers d'une serviette, et renforcer son goût en lui ajoutant un blanc d'œuf et de la viande hachée.

Clouter – Enfoncer dans une pièce de viande, un gibier ou un poisson de menus morceaux de truffe, de jambon, de langue écarlate (d'anchois ou de cornichons pour les poissons).

Crever – Amener le riz jusqu'à un certain degré de cuisson.

Dégraisser – Enlever l'excès de graisse qui remonte en nappe à la surface d'une sauce, d'un consommé, etc. ; enlever l'excès de graisse apparente sur une pièce de viande.

Écumer – Retirer à l'aide d'une écumoire la mousse remontant à la surface d'un liquide.

Fond – Bouillon, gelée, jus, roux utilisé pour la préparation d'une sauce.

Gratiner – Mettre au four un mets, recouvert de fromage râpé ou de chapelure de façon à obtenir une croûte dorée et craquante.

Julienne – Légume ou viande détaillés en filaments plus ou moins gros.

Mirepoix – Appareil constitué de carottes, de céleri, d'oignon, de jambon (ou de lard de poitrine) coupés en dés et fondus au beurre. Le mirepoix au maigre ne comporte pas de jambon.

Monder – Retirer la peau marron des amandes après les avoir ébouillantées.

Pocher – Cuire dans un liquide aromatisé, sans laisser bouillir, viandes ou poissons.

Réduire – Chauffer une sauce, un liquide, pour lui donner plus de saveur. La réduction se fait par évaporation.

Revenir – Faire colorer dans un corps gras une viande ou un poisson.

Suprêmes – Blancs de volaille prélevés à cru.

*« Mais son grand régal était un certain potage,
du vermicelle cuit à l'eau très épais, où il versait
la moitié d'une bouteille d'huile. »*

ÉMILE ZOLA

Les potages

Les potages se classent en deux familles, les potages clairs et les potages liés, lesquels se subdivisent à nouveau en plusieurs catégories.

Les potages clairs comprennent les consommés blancs simples, les consommés clarifiés, les consommés glacés et les consommés garnis.

Les potages liés : l'élément de liaison de ces potages est un féculent, qui peut être du riz, du pain mouillé et écrasé, ou la purée de légumes d'un féculent. L'élément de mouillement est soit un consommé blanc simple, de l'eau, du lait, soit encore l'eau de cuisson d'un légume.

Les potages liés comprennent les potages-purées, les bisques, les potages-crèmes, les veloutés et les bouillies.

Les potages clairs

LES CONSOMMÉS BLANCS SIMPLES

Ils servent à la préparation de tous les potages clairs. Ils sont composés de viande maigre de bœuf, de viande de veau et de légumes forts en goût (carottes, navets, céleri, oignon piqué d'un clou de girofle, ail). Mais il est extrêmement rare que, pour un repas familial, la préparation d'un potage se fasse à l'aide d'un consommé blanc simple. Précisons cependant qu'un potage préparé avec un consommé blanc simple est beaucoup plus savoureux.

Consommé blanc simple ☕

Préparation : 20 mn
Cuisson : 4 h

Pour 2 à 3 l

1 kg de viande maigre
de bœuf (gîte, paleron,
jumeau)
750 g de jarret de bœuf
1 os à moelle
400 g de carottes
200 g de navets
200 g de poireaux
1 branche de céleri
1 oignon piqué de 2 clous
de girofle
1 gousse d'ail
4 l d'eau
Sel

1. Épluchez et lavez les légumes.

2. Mettez la viande dans une grande marmite et mouillez avec 4 l d'eau froide. Mettez sur le feu et portez à ébullition. Retirez l'écume.

3. Salez et ajoutez tous les légumes épluchés et lavés. Laissez cuire à petits bouillons pendant 4 heures. Si vous utilisez l'autocuiseur, laissez cuire seulement 1 h 30 après avoir procédé à l'écumage.

4. Après la cuisson, dégraissez le bouillon en le passant au travers d'une serviette mouillée et bien essorée.

LES CONSOMMÉS CLARIFIÉS OU RICHES

Le véritable consommé est clarifié. Il est dit « double » si on lui adjoint des éléments tels que du bœuf, du blanc d'œuf, ou toutes sortes de garnitures qui l'enrichissent. Il est mouillé avec un consommé simple.

Consommé de gibier

Préparation : 20 mn
Cuisson : 3 h 10

Pour 3 l environ

*1 kg de collier
    de chevreuil
1 petite perdrix
1 morceau de lièvre
100 g de carottes
1 gros oignon piqué
    de 3 clous de girofle
100 g de poireaux
1 branche de céleri
1 cuillerée à café
    de baies de genièvre
4,5 l d'eau
Sel*

1. Mettez les baies de genièvre dans une mousseline.

2. Faites légèrement dorer les viandes au four. Mettez-les dans une grande marmite, couvrez d'eau et portez à ébullition.

3. Écumez, ajoutez le sel, les baies de genièvre, les légumes. Réduisez le feu et conduisez la cuisson à très faible ébullition pendant 3 heures environ.

4. Pour utiliser le bouillon en potage, dégraissez-le en le passant à travers un torchon mouillé et essoré.

N.B. : vous pouvez le servir simplement dégraissé et accompagné de boulettes de viandes faites avec la viande de gibier hachée et mélangée à 1 œuf entier plus 1 blanc d'œuf. Roulées entre les paumes des mains, vous les plongez dans de l'eau bouillante salée et les retirez avec une écumoire quand elles remontent à la surface.

Consommé de poisson 🍲

Préparation : 15 mn
Cuisson : 45 mn

Pour 3 l environ

1 brochet de 1,500 kg
500 g d'arêtes de poisson
1 tête de cabillaud
   ou le collier de 1 gros
   poisson
200 g d'oignons
200 g de poireaux
1 branche de céleri
1 bouquet garni composé
   de 1 branche de thym,
   1 branche de persil
   et 1 feuille de laurier
25 cl de vin blanc sec
4 l d'eau
Sel

1. Épluchez les oignons et coupez-les en rondelles. Émincez les poireaux.

2. Mettez tous les ingrédients ainsi que les parures de poisson dans une marmite. Mouillez avec l'eau et le vin blanc. Portez à ébullition, réduisez le feu et laissez frémir pendant 45 minutes.

3. La cuisson achevée, passez le bouillon à la serviette humide.

N.B. : vous pourrez utiliser le poisson en soufflé, croquettes, gratin ou salade. Si vous désirez obtenir un fond de gelée de poisson, réduisez les proportions de vin blanc et d'eau et mettez davantage de têtes de poisson.

Consommé de volaille 🍲

Préparation : 15 mn
Cuisson : 2 h 15

Pour 3 l environ

1 grosse poule (ou les
   abattis : cou, pattes,
   ailes, gésier)
1 os de bœuf
200 g de carottes
100 g de navets
1 branche de céleri
1 oignon piqué de 3 clous
   de girofle
4 l d'eau
Sel

1. Mettez la poule coupée en morceaux (ou les abattis) et l'os de bœuf dans une grande marmite. Couvrez avec l'eau. Salez, portez à ébullition et écumez.

2. Ajoutez les légumes et les aromates. Réduisez le feu et continuez la cuisson pendant 2 heures environ.

3. Passez le bouillon à la serviette.

LES CONSOMMÉS GLACÉS

On sert généralement les consommés glacés pour des soupers fins ou simplement l'été. Ils sont présentés à table directement dans des tasses. Ils doivent être limpides et sapides. L'adjonction d'un élément de saveur se fait au même moment que la clarification du consommé.

Consommé de céleri 🍲

Préparation : 20 mn
  + 10 mn
Cuisson : 4 h

2 l de consommé blanc
  simple clarifié (p. 45)
1/2 pied de céleri

1. Retirez les feuilles, les fils des côtes et lavez soigneusement le céleri. Hachez-le très fin avec le hachoir à main, cela pour lui conserver l'essentiel de son jus. Ajoutez-le au consommé clarifié chaud. Laissez infuser 10 minutes.

2. Passez le consommé à la serviette et laissez-le bien refroidir avant de le servir.

Consommé de cerises 🍲

Préparation : 20 mn
  + 10 mn
Cuisson : 4 h

1,5 l de consommé blanc
  simple clarifié (p. 45)
1 kg de cerises noires
1 cuillerée à café
  de kirsch
Poivre

1. Lavez, égouttez puis dénoyautez les cerises. Écrasez-les. Récupérez bien le jus et jetez le tout dans le consommé clarifié brûlant. Laissez infuser 10 minutes.

2. Passez le consommé à la serviette. Ajoutez le kirsch, le poivre. Laissez bien refroidir avant de servir.

Consommé aux herbes 🍲

Préparation : 20 mn
+ 10 mn
Cuisson : 4 h

*1,5 l de consommé blanc
simple clarifié (p. 45)
1 branche de persil
1 branche de cerfeuil
1 branche d'estragon
1 grande côte de fenouil
5 feuilles de basilic
7 feuilles de menthe
3 feuilles d'oseille
1/2 verre à liqueur d'eau-
de-vie*

1. Lavez toutes les herbes. Séchez-les dans un torchon, hachez-les finement au hachoir à main.

2. Versez le hachis dans le consommé clarifié chaud et laissez-le infuser pendant 10 minutes.

3. Passez-le à la serviette et laissez-le refroidir.

4. Ajoutez l'eau-de-vie au moment de servir.

Consommé madrilène 🍲

Préparation : 20 mn
+ 10 mn
Cuisson : 4 h

*2 l de consommé
de volaille clarifié
(p. 47)
3 grosses tomates
2 petits piments doux
Poivre*

1. Épluchez les tomates, épépinez-les et passez la pulpe au mixeur. Hachez finement les piments.

2. Au moment de la clarification, ajoutez la pulpe et les piments au consommé. Ajoutez la pointe de poivre. Laissez infuser 10 minutes.

3. Passez le consommé à la mousseline et laissez refroidir.

Consommé au marsala 🍲

Préparation : 20 mn
Cuisson : 4 h

*2 l de consommé blanc
simple (p. 45)
10 cl de marsala
Poivre*

1. Ajoutez au consommé clarifié, passé et froid une pointe de poivre ainsi que le marsala.

2. Remuez bien et servez.

Consommé au porto ⊜

Préparation : 15 mn
Cuisson : 2 h 15 + 10 mn

*2 l de consommé
de volaille clarifié
(p. 47)
50 g de parures de truffes
20 cl de porto*

1. Hachez les parures de truffes et ajoutez-les au consommé en fin de clarification. Laissez-les infuser 10 minutes.

2. Passez le consommé. Ajoutez le porto lorsque le consommé est bien refroidi et servez.

LES CONSOMMÉS GARNIS

Les consommés garnis sont des consommés simples ou clarifiés auxquels on a ajouté des garnitures, ce qui en fait une entrée très raffinée. Les garnitures des consommés sont le plus souvent préparées à part et ajoutées au dernier moment, à l'exception toutefois de l'élément de liaison, tel que fécule, tapioca ou arrow-root, lorsque celui-ci intervient en très faible quantité pour donner un léger moelleux au consommé.

Consommé aux abattis de volaille ⊜

Préparation : 15 mn
Cuisson : 2 h 15 + 52 mn

*2 l de consommé
de volaille (p. 47)
4 ailerons de poulet
2 cous de poulet
1 blanc de poireau
1 carotte
1 blanc d'œuf*

1. Hachez les ailerons avec les os. Tronçonnez les cous en morceaux de 1 cm environ ; enfermez-les dans une mousseline.

2. Faites cuire dans le consommé, pendant 45 minutes environ, le poireau, la carotte, les ailerons et les morceaux de cou.

3. Retirez les ingrédients, ajoutez le blanc d'œuf tout en fouettant. Laissez cuire 7 à 8 minutes à feu très doux.

4. Passez le consommé à travers une serviette mouillée et essorée. Retirez les tronçons de cou de la mousseline et ajoutez-les au consommé.

Consommé Bizet 🍲🍲🍲

Préparation : 15 mn
Cuisson : 2 h 15 + 15 mn

*2 l de consommé
de volaille clarifié
(p. 47)
6 cuillerées à soupe
rases de tapioca
2 cuillerées à café
d'estragon haché
1 douzaine de petites
quenelles à la volaille
(p. 25)
Sel, poivre*

1. Versez le tapioca dans le consommé clarifié et bouillant. Mélangez et laissez cuire 5 minutes sans cesser de tourner. Poivrez.

2. Vous aurez préparé auparavant des petites quenelles. Si elles vous semblent trop grosses, coupez-les en tronçons ; sinon, laissez-les entières. Pochez-les dans de l'eau bouillante salée pendant 8 à 10 minutes.

3. Versez le consommé dans une soupière. Ajoutez les quenelles puis l'estragon haché. Servez aussitôt.

Consommé Borghese 🍲

Préparation : 15 mn
Cuisson : 2 h 15 + 7 mn

*2 l de consommé
de volaille clarifié
(p. 47)
1 blanc de poulet
(prélevé sur un poulet
rôti)
1 vingtaine de petites
pointes d'asperges
Sel*

1. Lavez les pointes d'asperges et faites-les blanchir dans de l'eau bouillante salée pendant 6 à 7 minutes selon leur grosseur ; égouttez-les. Mieux, faites-les cuire à la vapeur car les pointes sont toujours très fragiles.

2. Retirez la peau du blanc de poulet et découpez la chair en fines lamelles.

3. Ajoutez les lamelles de poulet et les pointes d'asperges au consommé clarifié et chaud. Servez aussitôt.

Consommé aux boulettes ♨♨

Préparation : 20 mn
+ 30 mn
Cuisson : 4 h + 5 mn

*2 l de consommé blanc
simple clarifié
(p. 45)*

Pour les boulettes :

*250 g de viande de bœuf
(choisie dans un
morceau à bouillir)
1 oignon
75 g de pain rassis
1 œuf
1 verre de lait
Farine
Chapelure
Sel, poivre*

1. Faites tremper le pain dans le lait. Hachez la viande ainsi que l'oignon et mettez-les dans une jatte.

2. Pressez le pain et passez-le à la moulinette. Ajoutez-le, ainsi que le sel, le poivre et l'œuf battu, aux autres ingrédients. Mélangez intimement le tout.

3. Versez la chapelure dans une assiette. Faites de minuscules boulettes de viande dans le creux des mains et roulez-les dans la farine.

4. Pochez-les dans de l'eau frémissante salée. Quand elles remontent à la surface, retirez-les avec l'écumoire. Mettez-les dans le bouillon clarifié chaud juste au moment de servir.

Consommé Brillat-Savarin ♨♨

Préparation : 15 mn
+ 15 mn
Cuisson : 2 h 15 + 20 mn

*2 l de consommé
de volaille clarifié
(p. 47)
2 suprêmes de volaille
2 crêpes salées (p. 23)
3 cuillerées à soupe
de laitue et d'oseille
ciselées
1 cuillerée à soupe
de pluches de cerfeuil
25 g de beurre*

1. Détaillez en fines lamelles les suprêmes de volaille et jetez-les dans le consommé chaud et frémissant sur le feu. Laissez frémir.

2. Pendant ce temps, faites la pâte à crêpes. Découpez-y des petits losanges et réservez.

3. Faites chauffer le beurre et faites-y fondre la laitue et l'oseille pour obtenir une chiffonnade.

4. Ajoutez les losanges de crêpes et la chiffonnade dans le consommé au moment de servir, ainsi que le cerfeuil.

Consommé Charles-X ♨♨

Préparation : 15 mn
+ 30 mn
Cuisson : 2 h 15 + 30 mn

*2 l de consommé de
volaille clarifié
(p. 47)
2 suprêmes de volaille*

**Pour la mousseline
de volaille truffée :**

*250 g de chair de volaille
crue
1 blanc d'œuf
20 cl de crème fraîche
épaisse
1 cuillerée à soupe
de parures de truffes
hachées
Sel, poivre*

1. Préparez la mousseline de volaille truffée :
passez au mixeur la chair de volaille crue.
Mettez-la dans une terrine avec le blanc
d'œuf battu. Mettez cette terrine dans un
récipient de diamètre supérieur et contenant
de la glace. Ajoutez progressivement la
crème fraîche et montez la mousse à la spatule. Ajoutez les parures de truffes hachées.
Salez, poivrez et mélangez intimement.

2. Ouvrez les suprêmes de volaille sans les
percer dans le sens de la longueur. Aplatis-
sez-les. Versez sur les suprêmes la mousseline de volaille truffée. Roulez-les, enfermez-les dans une mousseline et ficelez-les.

3. Pochez ces petits boudins dans de l'eau
salée frémissante pendant 30 minutes.

4. Retirez-les avec une écumoire et laissez-
les complètement refroidir sur un marbre.
Retirez la mousseline et taillez dans les
suprêmes des rondelles de 1 cm d'épaisseur.
Ajoutez ces rondelles au consommé clarifié
seulement au moment du service.

Consommé chasseur ♨♨♨

Préparation : 20 mn
+ 30 mn
Cuisson : 3 h 10 + 40 mn

*2 l de consommé
de gibier (p. 46)
150 g de champignons
de Paris
20 g de beurre
3 cuillerées à soupe
de tapioca
1 cuillerée à soupe
de pluches de cerfeuil
1 douzaine de petites
profiteroles (p. 23)
Purée de gibier (p. 46)
1 verre de madère
Sel*

1. Nettoyez les champignons. Émincez-les.
Faites-les revenir à feu doux dans le beurre.
Mouillez-les avec le madère. Salez. Laissez
cuire pendant 10 minutes.

2. Faites les profiteroles. Fourrez-les avec la
purée de gibier.

3. Faites chauffer le consommé. Liez-le avec
le tapioca. Ajoutez les champignons et parsemez de pluches de cerfeuil. Servez aussitôt et présentez les profiteroles à part.

Consommé Colbert 🍲

Il est possible de remplacer les œufs de poule par des œufs de caille. Comptez alors 3 œufs par personne et réduisez leur temps de cuisson.

Préparation : 15 mn
  + 20 mn
Cuisson : 2 h 15 + 8 mn

2 l de consommé
  de volaille clarifié
  (p. 47)
4 à 6 petits œufs
4 cuillerées à soupe
  de julienne de légumes
  (carottes, navets,
  petits pois)
1 cuillerée à soupe
  de cerfeuil haché
Sel

1. Épluchez les carottes, les navets. Écossez les petits pois et lavez tous les légumes. Coupez carottes et navets en julienne et faites-les blanchir, ainsi que les petits pois, pendant 10 minutes dans de l'eau bouillante salée. Égouttez-les.

2. Faites bouillir de l'eau dans une casserole. Cassez les œufs dans une soucoupe et faites-les glisser au fur et à mesure dans l'eau. Retirez la casserole du feu et laissez-les pocher pendant 3 minutes.

3. Retirez les œufs à l'aide de l'écumoire.

4. Versez le consommé brûlant dans une soupière, ajoutez la julienne, les œufs et parsemez de cerfeuil haché. Pour qu'ils présentent mieux, vous pouvez couper les bords des œufs pochés avec des ciseaux.

Consommé aux crêpes 🍲🍲

Préparation : 20 mn
  + 15 mn
Cuisson : 4 h + 20 mn

2 l de consommé blanc
  simple (p. 45)
Pâte à crêpes (p. 23)
1 tranche de jambon
1 petite branche de persil
Beurre

1. Passez le jambon et le persil à la moulinette (évitez le mixeur, qui réduit trop en purée).

2. Faites la pâte à crêpes. Quand celle-ci est bien lisse, ajoutez le jambon et le persil haché. Remuez bien.

3. Faites chauffer une poêle, puis faites-y fondre un peu de beurre. Faites dorer les crêpes sur une face, puis sur l'autre.

4. En les retirant de la poêle, roulez chaque crêpe sur elle-même et découpez-y des bandes de 1 cm de large avec un couteau pointu. Déroulez-les et ajoutez ces rubans au consommé chaud.

Consommé Dalayrac 🍲

Préparation : 15 mn
+ 15 mn
Cuisson : 2 h 15 + 8 mn

*2 l de consommé
de volaille clarifié
(p. 47)
1 blanc de volaille cuit
6 cuillerées à soupe
de tapioca
150 g de champignons
de Paris
1 cuillerée à soupe
de parures de truffes
hachées
Le jus de 1 citron
Sel*

1. Otez le pied terreux des champignons. Lavez soigneusement les têtes. Coupez-les en quatre, puis en lamelles. Plongez-les dans de l'eau bouillante salée et citronnée pendant 3 minutes.

2. Détaillez le blanc de volaille en julienne.

3. Versez le tapioca dans le consommé bouillant et faites-le cuire pendant 5 minutes sans cesser de tourner.

4. Mettez le consommé dans une soupière et ajoutez les champignons et les parures de truffes hachées. Servez aussitôt.

Consommé aux gnocchis 🍲🍲

Préparation : 20 mn
+ 30 mn
Cuisson : 4 h + 35 mn

*2 l de consommé blanc
simple clarifié (p. 45)
500 g de pommes de terre
à chair ferme
150 g environ de farine
1 branche de persil
Huile de tournesol
Sel*

1. Épluchez les pommes de terre, coupez-les en morceaux, lavez-les et faites-les cuire pendant 30 minutes dans de l'eau salée. Égouttez-les. Passez-les au moulin à légumes.

2. Versez la farine en fontaine sur un marbre ou sur un plan de travail. Mettez au milieu les pommes de terre écrasées ainsi que le persil haché. Mélangez le tout. Travaillez cette pâte jusqu'à ce qu'elle ne colle plus aux doigts en rajoutant, si c'est nécessaire, autant de farine qu'il le faut.

3. Farinez le marbre et formez des boudins de 1 cm de diamètre environ en roulant la pâte sous vos doigts. Avec un couteau, coupez des tronçons de 2 cm de long environ.

4. Saupoudrez-les de farine. Faites bouillir de l'eau. Ajoutez un peu de gros sel et 1 cuillerée à soupe d'huile pour que les gnocchis ne collent pas entre eux pendant la cuisson.

5. Plongez les gnocchis dans cette eau. Lorsqu'ils remontent à la surface, ils sont cuits. Retirez-les alors avec l'écumoire. Faites chauffer le consommé et ajoutez les gnocchis. Servez aussitôt.

Consommé à l'infante ●●●

Préparation : 15 mn
+ 30 mn
Cuisson : 2 h 15 + 5 mn

2 l de consommé de
  volaille (p. 47)
2 cuillerées à soupe
  d'arrow-root
150 g de foie gras cuit
  entier
1 douzaine de petites
  profiteroles (p. 23)

1. Écrasez le foie gras à la fourchette et détendez-le légèrement en lui ajoutant 1 ou 2 cuillerées à soupe de consommé. Avec une poche à douille, garnissez de foie gras les profiteroles.

2. Délayez l'arrow-root avec le consommé chaud. Servez sans attendre. Présentez les profiteroles à part.

Consommé Longchamp ●

Préparation : 15 mn
+ 5 mn
Cuisson : 2 h 15 + 15 mn

2 l de consommé de
  volaille clarifié (p. 47)
4 poignées de feuilles
  d'oseille
40 g de beurre
2 jaunes d'œufs
4 poignées de vermicelles
  « cheveux d'ange »

1. Lavez et faites fondre l'oseille ciselée dans le beurre chaud. Retirez du feu.

2. Ajoutez les jaunes d'œufs. Battez le tout avec le fouet.

3. Faites cuire les vermicelles dans le consommé pendant 7 à 8 minutes et versez le tout sur l'oseille en remuant. Servez aussitôt.

Consommé à la moelle 🍲

Préparation : 20 mn
  + 40 mn
Cuisson : 4 h + 15 mn

350 g de moelle de bœuf
2 œufs
75 g environ de mie
  de pain rassise
1 pointe de noix muscade
  râpée
1 branche de persil
Farine
2 l de consommé blanc
  simple (p. 45)
Sel, poivre

1. Faites tremper la mie de pain dans un peu de consommé.

2. Hachez finement la moelle en veillant à ce qu'il n'y ait pas de brins d'os. Mettez-la dans une terrine.

3. Ajoutez le persil haché, la pointe de muscade, les œufs entiers et la mie de pain pressée. Salez, poivrez. Mélangez intimement le tout. Rajoutez un peu de mie de pain si cela est nécessaire : la pâte doit être assez ferme et non collante.

4. Formez des petites boulettes. Roulez-les dans la farine et pochez-les dans de l'eau bouillante salée. Laissez-les frémir pendant 10 minutes environ. Retirez-les avec l'écumoire quand elles remontent à la surface.

5. Mettez-les dans la soupière et versez dessus le consommé que vous aurez fait chauffer auparavant.

Consommé aux œufs filés 🍲🍲

Préparation : 20 mn
Cuisson : 4 h + 4 mn

2 l de consommé blanc
  simple clarifié (p. 45)
5 œufs
5 cuillerées à soupe
  de farine
Sel

1. Cassez les œufs dans une terrine. Salez. Ajoutez la farine. Mélangez énergiquement avec un fouet. Passez cette pâte au tamis fin.

2. Faites chauffer le consommé. Placez une écumoire au-dessus de la casserole contenant le consommé et versez les œufs au travers de l'écumoire. Ceux-ci tomberont en filets minces dans le consommé bouillant. Laissez cuire pendant 3 à 4 minutes. Servez aussitôt la cuisson terminée.

Consommé aux œufs mollets 🍲

Préparation : 15 mn
+ 10 mn
Cuisson : 2 h 15 + 5 mn

*2 l de consommé
de volaille clarifié
(p. 47)
2 douzaines d'œufs
de caille
1 cuillerée à soupe de
pistaches non salées
débarrassées de leur
coque et de leur peau*

1. Hachez les pistaches.

2. Mettez les œufs dans un panier métallique et plongez-les pendant 5 minutes dans de l'eau bouillante.

3. Retirez le panier. Passez les œufs à l'eau fraîche. Écalez-les.

4. Versez le consommé clarifié dans une soupière. Ajoutez les œufs de caille ainsi que les pistaches hachées. Servez aussitôt.

Consommé aux œufs pochés 🍲

Préparation : 20 mn
Cuisson : 4 h + 5 mn

*8 œufs
2 cuillerées à soupe
de fines herbes hachées
(persil, estragon,
cerfeuil)
50 g de beurre
1 verre de vinaigre
2 l de consommé blanc
clarifié (p. 45)
1 l d'eau*

1. Faites bouillir l'eau avec le vinaigre. Ajoutez les fines herbes.

2. Cassez les œufs dans une soucoupe et faites-les glisser un à un dans l'eau bouillante. Laissez frissonner pendant 3 minutes.

3. Retirez-les avec une écumoire. Disposez-les sur un torchon et parez-les avec un couteau pointu, de façon à leur donner un aspect régulier en supprimant les filaments de blanc.

4. Faites chauffer le consommé. Ajoutez le beurre. Mélangez bien et versez dans la soupière. Au moment de servir, ajoutez délicatement les œufs dans la soupière en veillant à ne pas les percer.

Consommé aux perles 🍲

Ces perles originaires d'Asie, que l'on trouve dans les magasins spécialisés, sont préparées avec une pâte à base de manioc. La pâte est roulée en forme de minuscules perles.

Préparation : 15 mn
Cuisson : 2 h 15 + 25 mn

*2 l de consommé
  de volaille clarifié
  (p. 47)
150 g de perles*

Après avoir clarifié puis passé le consommé à travers la serviette mouillée et essorée, jetez-y les perles et laissez cuire 25 minutes.

Consommé aux profiteroles 🍲🍲🍲

Préparation : 20 mn
  + 40 mn
Cuisson : 3 h 10 + 40 mn

*1 kg de châtaignes
2 verres de lait
2 l de consommé
  de gibier clarifié
  (p. 46)
1 noix de beurre
2 cuillerées à café
  de fécule
1 trentaine de petites
  profiteroles (p. 23)
Sel*

1. Incisez les châtaignes sur tout le pourtour. Faites-les cuire pendant 4 minutes environ dans de l'eau bouillante. Égouttez-les. Tenez-les au chaud pour enlever plus aisément les deux peaux.

2. Une fois épluchées, remettez à cuire pendant 30 minutes environ. Égouttez-les. Passez-les au presse-purée. Ajoutez le lait et le beurre. Salez. Cette purée doit être relativement consistante de façon à pouvoir être utilisée facilement avec la douille.

3. Faites les profiteroles.

4. Avec un couteau pointu, faites une petite incision dans la partie inférieure des profiteroles. Remplissez la poche à douille avec la purée de marrons et garnissez-en les petits choux.

5. Délayez la fécule avec le consommé de gibier. Portez à ébullition et laissez cuire 5 minutes.

6. Versez le bouillon dans la soupière et servez les profiteroles à part.

Consommé de queue de bœuf ⊕

Préparation : 20 mn
+ 20 mn
Cuisson : 4 h + 5 h 10

*5 l de consommé blanc
simple (p. 45)
2 kg de queue de bœuf
1 branche de céleri
250 g de carottes
250 g de navets
Sel*

**Pour la clarification
du bouillon :**

*400 g de viande de bœuf
hachée
1 blanc d'œuf
1 cuillerée à soupe
d'arrow-root
1 blanc de poireau*

1. Coupez la queue de bœuf en tronçons. Épluchez, lavez les légumes.

2. Mettez les tronçons de queue de bœuf dans une marmite. Couvrez avec le consommé blanc simple. Portez à ébullition. Écumez.

3. Ajoutez le sel, les légumes. Réduisez le feu afin que l'eau frissonne seulement et laissez cuire pendant 5 heures.

4. Passez le bouillon.

5. Mettez dans une marmite la viande hachée, le blanc de poireau, le blanc d'œuf et l'arrow-root. Versez le bouillon dessus, tout en fouettant. Portez à ébullition. Réduisez le feu et continuez la cuisson pendant 10 minutes.

6. Passez le bouillon à travers une serviette mouillée et fortement essorée. Versez dans une soupière. Ajoutez les tronçons de queue de bœuf, les carottes et les navets coupés en morceaux.

Consommé aux raviolis ⊕⊕⊕

Préparation : 20 mn
+ 40 mn
Cuisson : 4 h + 5 mn

*2 l de consommé
blanc simple clarifié
(p. 45)
2 douzaines de raviolis
(p. 25)
Huile de tournesol
Sel*

1. Plongez les raviolis dans de l'eau bouillante salée dans laquelle vous aurez mis 1 cuillerée à soupe d'huile de tournesol.

2. Lorsque les raviolis sont cuits, ils remontent à la surface. Retirez-les avec une écumoire.

3. Faites chauffer le consommé et ajoutez les raviolis. Servez bien chaud.

Consommé aux royales 🍲🍲

Les royales (petites terrines décoratives à base d'œufs et de légumes) peuvent être faites avec toutes sortes de légumes (céleri, tomates, truffes, petits pois, etc.). Le principe de préparation est pratiquement toujours le même, et le mouillement se fait avec le consommé dans lequel seront servies les royales.

Préparation : 15 mn
+ 40 mn
Cuisson : 2 h 15 + 45 mn

*2 l de consommé
de volaille (p. 47)*

**Pour les royales
de carottes :**
*75 g de carottes
épluchées
50 g de beurre
2 cuillerées à café
de sauce ménagère
(p. 34) mouillée au
consommé
2 cuillerées à café de
crème fraîche épaisse
4 jaunes d'œufs
1 pincée de sucre
Sel*

**Pour les royales
de tomates :**
*2 tomates bien mûres
4 cuillerées à soupe
de consommé
4 jaunes d'œufs
1 pincée de sucre
Sel*

**Pour les royales
de céleri :**
*75 g de céleri-rave
épluché
50 g de beurre
2 cuillerées à café
de sauce ménagère
(p. 34) mouillée
au consommé
2 cuillerées à café de
crème fraîche épaisse
4 jaunes d'œufs
Sel*

1. Préparez les royales de carottes : faites fondre le beurre et faites cuire à l'étuvée les carottes coupées en rondelles. Salez, sucrez légèrement et mouillez avec très peu d'eau. Passez les carottes au moulin à légumes.

2. Ajoutez la sauce ménagère, la crème fraîche et les jaunes d'œufs. Versez cette purée dans des petits moules à darioles beurrés et faites cuire 20 minutes au bain-marie. Retirez les moules du bain-marie et laissez-les refroidir complètement avant de les démouler.

3. Coupez les royales en rondelles et dans celles-ci des carrés, des rectangles, des bâtonnets ou des formes plus originales, en vous servant de petits emporte-pièces.

4. Préparez les royales de tomates : pour éplucher plus facilement les tomates, plongez-les 2 minutes dans de l'eau chaude. Épluchez-les, épépinez-les et passez-les au presse-purée. Ajoutez le consommé, les jaunes d'œufs, le sel et le sucre. Mélangez, versez dans des moules à darioles beurrés et faites cuire au bain-marie. Procédez ensuite comme précédemment.

5. Préparez les royales de céleri en procédant comme pour les royales de carottes.

6. Faites chauffer le consommé, et, au moment de servir, ajoutez les royales de différentes couleurs et de différentes formes.

N.B. : si vous possédez plusieurs moules à darioles, préparez toutes vos royales en même temps et ne faites qu'une seule cuisson au bain-marie.

Consommé Solferino 🍲

Préparation : 15 mn
  + 30 mn
Cuisson : 2 h 15 + 20 mn

*2 l de consommé
  de volaille clarifié
  (p. 47)
12 petits oignons frais
3 grosses carottes
3 grosses pommes
  de terre
3 navets
1 cuillerée à café de
  concentré de tomate
Sel, poivre*

1. Épluchez tous les légumes et lavez-les.

2. Avec une cuillère parisienne, tournez des petites boules dans les pommes de terre, les carottes et les navets. Faites-les cuire dans le consommé, ainsi que les oignons émincés, pendant 20 minutes.

3. Délayez le concentré de tomate avec 2 cuillerées à soupe de consommé et ajoutez-le au consommé. Salez, poivrez. Servez aussitôt.

Consommé de Strasbourg 🍲

Trempage : 1 h
Préparation : 20 mn
Cuisson : 4 h + 2 h 15

*3 l de consommé blanc
  simple (p. 45)
1 blanc d'œuf
3 saucisses de Strasbourg
350 g de choucroute
Sel*

1. Lavez et laissez tremper la choucroute à l'eau froide pendant 1 heure. Pressez-la.

2. Faites-la cuire dans le consommé à tout petit feu pendant 2 heures. Au bout de ce temps, retirez-la avec une écumoire. Réservez-la dans une assiette.

3. Pochez les saucisses pendant 10 minutes dans de l'eau bouillante salée. Découpez-les en fines rondelles.

4. Clarifiez le consommé avec le blanc d'œuf. Laissez cuire à feu très doux pendant 10 minutes.

5. Passez le consommé à la serviette mouillée. Ajoutez la choucroute et les rondelles de saucisses. Servez aussitôt.

Les potages liés

LES POTAGES-PURÉES

Ces potages sont le résultat de purées de crustacés (bisques), de poissons, de viandes ou de légumes dont la liaison est faite au moyen d'un élément féculent, crème, œuf...

Potage aux amandes 🍲

Préparation : 20 mn
Cuisson : 5 mn

*500 g d'amandes
débarrassées de leurs
coquilles
1 l d'eau
1 l de lait
100 g de beurre
Sel*

1. Mettez les amandes dans une passoire et plongez-les 5 minutes dans de l'eau bouillante (la peau marron va se détacher du fruit). Mondez-les. Passez-les à l'eau froide. Épongez-les et mettez-les dans un mortier. Pilez-les finement pour les réduire en pâte en leur ajoutant quelques gouttes d'eau lors de l'opération.

2. Ajoutez le beurre en continuant de piler.

3. Versez sur cette pâte le lait et l'eau bouillante. Salez, mélangez bien et servez le potage bien chaud.

Potage d'arrow-root 🍲

Cette recette de potage* est extraite de *L'Art de la cuisine française au XIXe siècle* de Marie-Antoine Carême (1784-1833).

Préparation : 15 mn
Cuisson : 2 h 15 + 35 mn

*1 l de consommé de
  volaille (p. 47)
10 cuillerées à café
  d'arrow-root*

« Préparez votre consommé selon la règle, puis vous délayez dans une casserole dix cuillères à bouche d'arrow-root de l'Inde avec du consommé froid pour en former une pâte lisse déliée ; ensuite vous ajoutez peu à peu le consommé et vous faites bouillir le potage en le remuant sans cesse avec la cuillère de bois ; lorsque l'ébullition a eu lieu, vous le faites mijoter durant une demi-heure en ayant soin de le remuer de temps en temps pour éviter qu'il ne gratine. »

* Nous avons respecté l'appellation de « potage » choisie par Marie-Antoine Carême, mais, selon notre classification, cette recette aurait dû figurer dans les veloutés.

Potage d'artichauts de Jérusalem 🍲

Préparation : 30 mn
Cuisson : 40 mn

*500 g d'artichauts
  de Jérusalem
1 oignon
1 branche de céleri
1 branche de persil
2 l d'eau
1 cuillerée à soupe
  de crème de riz
1 cuillerée à soupe
  de crème fraîche
40 g de beurre
Sel, poivre*

1. Épluchez les artichauts, l'oignon, retirez les fils de la branche de céleri. Lavez les légumes et hachez-les grossièrement.

2. Faites fondre le beurre dans une casserole, puis faites-y revenir doucement les légumes.

3. Ajoutez la crème de riz. Mélangez et mouillez avec l'eau. Salez, poivrez et portez à ébullition sans cesser de tourner. Laissez cuire pendant 35 minutes. Passez le potage au moulin à légumes.

4. Rectifiez l'assaisonnement si nécessaire. Ajoutez la crème fraîche, mélangez bien. Mettez le persil haché et servez aussitôt.

Potage Solferino
(voir recette page 85)

Bisque de tourteaux
(voir recette page 89)

Potage basque 🍲

Préparation : 20 mn
Cuisson : 30 mn

500 g de pommes de terre
500 g de tomates bien
mûres
1 aubergine
1 oignon
1 gousse d'ail
5 grains de poivre
2 l d'eau
3 cuillerées à soupe
d'huile d'olive
Sel, poivre

1. Ébouillantez les tomates pour mieux les éplucher. Coupez-les en morceaux, épépinez-les et faites-les fondre à feu doux dans une casserole où vous aurez mis un peu d'huile.

2. Lorsqu'elles commencent à se défaire, ajoutez les pommes de terre épluchées et coupées en morceaux, l'oignon épluché et émincé, l'ail écrasé, les grains de poivre, le sel. Ajoutez 1 verre d'eau. Laissez cuire tout doucement 20 minutes.

3. Passez au tamis fin. Ajoutez le restant d'eau. Mélangez et amenez à ébullition. Réduisez le feu et tenez le potage au chaud.

4. Pendant ce temps, coupez l'aubergine en petits dés et faites-les revenir dans très peu d'huile. Mettez-les dans la soupière, versez le potage dessus, poivrez et servez.

Potage berrichon 🍲

Préparation : 20 mn
+ 15 mn
Cuisson : 4 h + 30 mn

500 g de navets
2 grosses pommes de
terre
1 blanc de poireau
3 branches de persil
1,75 l de consommé
blanc (p. 45)
ou 2 l d'eau
1 cuillerée à café de
cerfeuil haché
1 quinzaine de croûtons
de pain grillés
50 g de beurre

1. Épluchez les navets et les pommes de terre. Coupez-les en morceaux. Blanchissez-les pendant 5 minutes. Égouttez-les.

2. Mettez-les dans une casserole avec le blanc de poireau, le persil. Mouillez avec le consommé (ou l'eau) et faites cuire pendant 15 minutes.

3. Passez les légumes au moulin à légumes, grille fine. Rectifiez l'assaisonnement si nécessaire.

4. Versez dans la soupière. Ajoutez le beurre. Mélangez. Dès que le beurre est fondu, parsemez le potage de cerfeuil haché.

5. Servez avec les croûtons grillés à part.

Potage à la Camerani 🍲

Préparation : 20 mn
Cuisson : 45 mn

10 foies de volaille
1 branche de céleri
2 carottes
2 navets
1 gros poireau
3 pommes de terre
75 g de parmesan râpé
75 g de beurre
3 poignées de macaronis
2 l d'eau
Sel, poivre

1. Épluchez tous les légumes. Lavez-les et coupez-les en petits morceaux.

2. Hachez menu les foies de volaille.

3. Faites fondre le beurre dans une cocotte. Ajoutez-y les foies et les légumes. Faites-les revenir tout doucement. Mouillez avec l'eau. Salez et poivrez. Portez à ébullition. Réduisez le feu et continuez la cuisson pendant 30 minutes.

4. Faites cuire les macaronis à part dans de l'eau bouillante salée pendant 10 minutes. Égouttez-les. Versez les pâtes dans la soupière. Ajoutez la soupe.

5. Saupoudrez de parmesan râpé et servez aussitôt.

Potage aux choux de Bruxelles 🍲

Préparation : 30 mn
Cuisson : 40 mn

1 kg de choux
  de Bruxelles
1 tranche de 100 g
  environ de poitrine
  de porc fumée
3 cuillerées à soupe
  de crème aigre (ou,
  à défaut, de crème
  fraîche épaisse
  détendue avec un peu
  de bon vinaigre de vin)
60 g de beurre
1 grosse pomme de terre
2 l d'eau ou de bouillon
Sel

1. Retirez les mauvaises feuilles des choux. Lavez-les et plongez-les 5 minutes – pas davantage – dans de l'eau bouillante non salée, ceci pour qu'ils soient plus digestes. Égouttez-les.

2. Coupez le porc en petits dés. Faites-les revenir dans du beurre. Ajoutez les choux et la pomme de terre. Mouillez avec le bouillon et laissez cuire 30 minutes. Salez.

3. Retirez une dizaine de choux. Réservez-les.

4. Passez les choux restants ainsi que la pomme de terre au moulin à légumes. Ajoutez la crème aigre. Versez le potage dans la soupière puis les choux que vous avez réservés.

Potage de chou rouge 🍲

Préparation : 20 mn
Cuisson : 1 h

1 gros chou rouge
1 pomme de terre
1 grosse tomate
2 carottes
2 navets
1 branche de céleri
1 bouquet garni
100 g de beurre
2,5 l d'eau
Croûtons grillés
Sel

1. Coupez le chou en quartiers. Lavez-le et faites-le blanchir dans de l'eau bouillante salée pendant 10 minutes. Égouttez-le.

2. Épluchez, lavez et coupez en morceaux tous les autres légumes.

3. Faites fondre 50 g de beurre. Ajoutez le chou et les autres légumes. Faites-les revenir légèrement. Mouillez avec l'eau. Salez. Ajoutez le bouquet garni et laissez cuire pendant 40 minutes.

4. Passez au moulin à légumes. Ajoutez le beurre restant et les croûtons grillés.

Potage aux concombres 🍲

Préparation : 20 mn
+ 15 mn
Dégorgement : 1 h
Cuisson : 4 h + 30 mn

3 gros concombres
3 pommes de terre
2 l de consommé blanc
simple (p. 45)
20 cl de crème aigre (ou
fraîche, additionnée de
1 cuillerée à soupe de
vinaigre de vin)
1 poignée de gros sel
Sel, poivre

1. Épluchez les concombres et coupez-les en rondelles. Mettez-les dans un plat creux et recouvez-les de gros sel afin de leur faire rendre l'eau. Laissez-les 1 heure.

2. Lavez-les et épongez-les.

3. Épluchez, lavez et coupez les pommes de terre.

4. Mettez-les avec les concombres dans une grande casserole. Ajoutez le consommé, salez et faites cuire pendant 30 minutes. Passez au chinois, poivrez.

5. Au moment de servir, ajoutez la crème et mélangez bien.

Potage Condé 🍲

Trempage : 12 h
Préparation : 15 mn
Cuisson : 1 h 15

500 g de haricots rouges
* secs*
1 branche de céleri
1 gros oignon piqué
* de 3 clous de girofle*
1 blanc de poireau
1 carotte
20 cl de vin rouge
1 tranche de poitrine
* de porc fumée*
2,5 l d'eau
60 g de saindoux
Croûtons frits au beurre
Sel

1. La veille, mettez les haricots à tremper dans de l'eau froide.

2. Le lendemain, lavez le céleri, le poireau et la carotte. Coupez-les en morceaux.

3. Coupez le porc en dés. Faites-les revenir dans le saindoux. Ajoutez les légumes puis les haricots égouttés et l'oignon. Couvrez avec l'eau. Salez. Laissez cuire pendant 1 h 15.

4. Passez le potage au moulin à légumes. Ajoutez le vin rouge. Remettez sur le feu, donnez une ébullition.

5. Versez le potage dans la soupière sur des croûtons frits dans du beurre.

Potage Crécy 🍲

Préparation : 20 mn
Cuisson : 45 mn

1 kg de carottes
1 gros oignon
1 tranche de 100 g
* environ de poitrine*
* de porc fumée*
125 g de riz non prétraité
2 l d'eau ou de bouillon
50 g de beurre
1 cuillerée à soupe
* de crème fraîche*
Sel

1. Épluchez, lavez et coupez les carottes en rondelles.

2. Faites fondre le beurre et faites-y revenir à feu doux le porc coupé en dés et l'oignon épluché et émincé.

3. Ajoutez les carottes. Mouillez avec l'eau ou le bouillon. Salez et ajoutez 75 g de riz lavé. Laissez cuire pendant 40 minutes.

4. Pendant ce temps, faites cuire à l'eau le reste de riz.

5. Passez le potage au moulin à légumes et ajoutez le riz cuit à l'eau.

6. Rectifiez l'assaisonnement si nécessaire, et ajoutez la crème fraîche au moment de servir.

Potage à la crème d'orge 🍲

Préparation : 15 mn
Cuisson : 1 h 45

75 g de crème d'orge
75 g de beurre
2 l de bouillon
25 cl de lait
3 cuillerées à soupe
  d'orge perlé
2 jaunes d'œufs
50 g de crème fraîche
Sel

1. Faites un roux avec le beurre et la crème d'orge (voir Sauce veloutée, p. 34). Mouillez avec le bouillon. Portez à ébullition en remuant avec un fouet. Salez. Réduisez le feu et laissez cuire pendant 45 minutes.

2. Faites cuire l'orge pendant 1 heure dans de l'eau salée. Égouttez.

3. Ajoutez le lait bouilli et bouillant à la crème d'orge. Mélangez. Mettez les jaunes d'œufs dans la soupière. Versez dessus la crème d'orge en remuant avec le fouet.

4. Ajoutez la crème fraîche, puis les grains d'orge perlé. Vous pouvez remplacer ceux-ci par des croûtons de pain frit.

Potage cressonnière 🍲

Préparation : 20 mn
  + 15 mn
Cuisson : 4 h + 40 mn

250 g de cresson
250 g de pommes de terre
1,75 l de consommé
  blanc (p. 45)
25 cl de lait
3 cuillerées à soupe
  de crème fraîche
50 g de beurre
1 cuillerée à soupe
  de pluches de cerfeuil
1 cuillerée à soupe
  de feuilles de cresson
  hachées
Sel

1. Triez et lavez soigneusement le cresson.

2. Mettez-le dans une casserole et faites-le fondre à feu doux avec le beurre.

3. Ajoutez les pommes de terre épluchées, lavées et coupées en morceaux. Mouillez avec le consommé. Salez. Portez à ébullition et laissez cuire à feu doux pendant 30 minutes.

4. Passez au presse-purée.

5. Remettez sur le feu, ajoutez le lait. Donnez une ébullition.

6. Versez le potage dans la soupière, ajoutez la crème fraîche. Remuez bien et, au moment de servir, ajoutez les pluches de cerfeuil ainsi que le cresson haché.

Potage Du Barry 🍲

Préparation : 10 mn
Cuisson : 30 mn

500 g de chou-fleur
250 g de pommes de terre
2 jaunes d'œufs
1,5 l d'eau
50 cl de lait
50 g de beurre
Croûtons
Sel

1. Otez le trognon du chou, lavez les bouquets. Épluchez, lavez les pommes de terre.

2. Faites cuire les légumes ensemble dans l'eau salée pendant 30 minutes. Passez-les au presse-purée sans les égoutter.

3. Remettez sur le feu et ajoutez le lait. Portez à ébullition.

4. Mettez les jaunes d'œufs dans la soupière. Versez le potage en remuant avec un fouet.

5. Ajoutez le beurre. Servez avec des petits croûtons frits dans du beurre.

Potage d'endives 🍲

Préparation : 20 mn
  + 15 mn
Cuisson : 4 h + 50 mn

500 g d'endives
350 g de pommes de terre
2 l de consommé blanc
  simple (p. 45)
  ou d'eau
1 cuillerée à café
  de sucre
60 g de beurre
1 cuillerée à soupe
  de cerfeuil haché
Sel

1. Lavez les endives, émincez-les.

2. Épluchez, lavez et coupez les pommes de terre en rondelles.

3. Étuvez tout doucement les endives au beurre. Salez, sucrez. Ajoutez les pommes de terre. Mouillez avec le consommé. Laissez cuire pendant 40 minutes.

4. Passez au tamis. Versez le potage dans la soupière, parsemez de cerfeuil haché.

Potage d'escargots 🍲🍲

Jeûne : 72 h
Préparation : 50 mn
Cuisson : 2 h 15

4 douzaines d'escargots
petits-gris ou de
Bourgogne
3 ou 4 gousses d'ail
2 échalotes
1 bouquet garni (persil
et thym)
1 oignon
1 tranche de lard de 50 g
environ
50 g de beurre
40 g de farine
1 dizaine de larges
tranches de pain
1 verre de cognac
1 verre de vinaigre
Plusieurs poignées
de gros sel
3 l d'eau
Sel

1. Laissez jeûner les escargots pendant au moins 48 heures, car ils peuvent avoir mangé des herbes nocives pour les humains. Après ce jeûne, recouvrez-les de gros sel et laissez-les jeûner encore pendant 24 heures.

2. Lavez-les soigneusement et ajoutez 1 verre de vinaigre à la dernière eau.

3. Plongez-les alors dans de l'eau bouillante pendant 5 à 6 minutes. Retirez-les de leurs coquilles à l'aide d'une épingle, enlevez la partie noire.

4. Mettez-les dans une cocotte avec les échalotes, 2 gousses d'ail, le bouquet garni, le cognac et l'eau. Salez, laissez cuire à petite ébullition pendant 2 heures environ.

5. Retirez-les à l'aide d'une écumoire. Mettez-les de côté.

6. Émincez l'oignon et faites-le revenir dans le beurre avec les escargots et le lard coupé en dés. Saupoudrez de farine et mouillez avec le bouillon que vous aurez pris soin de passer à travers une étamine. Laissez cuire 10 minutes. Rectifiez l'assaisonnement.

7. Pendant ce temps, faites griller les tranches de pain et frottez-les avec une gousse d'ail.

8. Disposez les escargots sur les tranches de pain.

9. Versez le potage dans la soupière, placez les tranches de pain sur le bouillon et servez avant que le pain ne soit trop imbibé.

Potage aux fanes de radis 🍲

Préparation : 20 mn
Cuisson : 40 mn

Les fanes bien vertes
de 2 bottes de radis
1 gros oignon
350 g de pommes de terre
2 l d'eau
50 g de beurre
3 cuillerées à soupe
de crème fraîche
Croûtons de pain grillés
Sel

1. Nettoyez les fanes, retirez les feuilles jaunes ou flétries. Lavez-les dans plusieurs eaux et épongez-les.

2. Épluchez, lavez et coupez les pommes de terre en rondelles.

3. Épluchez et lavez l'oignon.

4. Faites fondre le beurre et mettez à étuver tout doucement les fanes. Lorsqu'elles sont fondues, ajoutez l'oignon et les pommes de terre. Couvrez avec l'eau, salez et laissez cuire pendant 30 minutes.

5. Passez au moulin à légumes. Ajoutez la crème fraîche et servez le potage accompagné de croûtons de pain grillés.

Potage aux fèves 🍲

Préparation : 20 mn
    + 40 mn
Cuisson : 4 h + 40 mn

2,500 kg de fèves
250 g de pommes de terre
1 oignon
1 branche de céleri
3 cuillerées à soupe
de crème fraîche
2 l de consommé
blanc (p. 45)
ou d'eau
Sel, poivre

1. Écossez les fèves et retirez la peau fine. Mettez-les dans une grande casserole, ajoutez les pommes de terre épluchées, lavées et coupées en rondelles, le céleri et l'oignon.

2. Couvrez avec le consommé, salez, poivrez et faites cuire pendant 40 minutes.

3. Passez au tamis, ajoutez la crème fraîche, mélangez et servez aussitôt.

Potage de grives au pain noir ❀❀

Cette soupe, nous la devons à Prosper Montagné, célèbre cuisinier de la Belle Époque.

« Préparez une mirepoix de carottes, de raves et de céleri. Faites-la étuver au beurre, puis faites sauter dans celle-ci une douzaine de grives. Ajoutez cent grammes de riz, six baies de genièvre et mouillez de deux litres de consommé.

« Laissez cuire cinquante minutes. Avant ce terme et pendant le dernier quart d'heure de cuisson, ajoutez deux cent cinquante grammes de pain noir coupé en tranches, qui mitonnera dans la préparation.

« Retirez les grives, désossez-les, pilez la chair au mortier en y mélangeant le riz et le pain. Délayez le tout avec le consommé de cuisson ; passez à l'étamine, incorporez un demi-litre de crème double et ajoutez cinquante grammes de beurre. Servez avec des petits croûtons de pain noir rissolés au beurre. »

Préparation : 15 mn + 30 mn
Cuisson : 2 h 15 + 1 h
N.B. : nous conseillons pour cette recette l'emploi d'un consommé de volaille (p. 47).

Potage aux haricots verts ❀

Préparation : 20 mn
Cuisson : 30 mn

500 g de haricots verts
350 g de pommes de terre
1 gros oignon
1 dizaine de queues
de persil
20 cl de crème aigre
1 gousse d'ail
2 l d'eau
Sel

1. Retirez les fils des haricots, équeutez-les, lavez-les.

2. Épluchez, lavez et coupez les pommes de terre en rondelles.

3. Mettez les légumes dans une casserole, ajoutez l'oignon épluché et émincé, l'ail, les queues de persil ficelées. Couvrez d'eau, salez et laissez cuire à découvert à petits bouillons pendant 30 minutes.

4. Retirez du bouillon la valeur d'une poignée de haricots et détaillez-les en petits losanges.

5. Passez le reste des légumes au moulin à légumes. Ajoutez la crème aigre. Mélangez bien et versez dans la soupière avec les haricots détaillés en losanges.

Potage de lentilles au cresson 🍲

Préparation : 20 mn
Cuisson : 1 h 05

350 g de lentilles blondes
1 poignée de feuilles
  de cresson
1 oignon
1 bouquet garni
1 gousse d'ail
50 g de beurre
2 poignées de vermicelles
  « cheveux d'ange »
2 l d'eau
Sel

1. Triez et lavez les lentilles. Mettez-les dans une grande casserole avec les feuilles de cresson bien triées et lavées, le bouquet garni, la gousse d'ail épluchée, l'oignon épluché et émincé, le sel et l'eau. Portez à ébullition et laissez bouillotter pendant 1 heure environ.

2. Retirez le bouquet garni. Passez les lentilles au presse-purée. Remettez sur le feu, ajoutez les vermicelles et laissez cuire tout doucement 5 à 6 minutes.

3. Retirez du feu, ajoutez le beurre, mélangez-le bien, et servez dès qu'il est fondu.

Potage aux macaronis 🍲

Préparation : 20 mn
Cuisson : 45 mn

250 g de macaronis
500 g de tomates
  bien mûres
1 bouquet garni
1 gros oignon
2 gousses d'ail
50 g de beurre
2 jaunes d'œufs
2 l d'eau
Gruyère ou parmesan
  râpé
Sel

1. Ébouillantez les tomates afin de les éplucher plus facilement. Une fois épluchées, coupez-les en morceaux, épépinez-les. Mettez-les dans une casserole avec l'oignon épluché et émincé, l'ail et le bouquet garni. Couvrez d'eau et faites cuire à petits bouillons pendant 30 minutes.

2. Faites cuire les macaronis dans de l'eau bouillante salée pendant 15 minutes environ. Surveillez la cuisson. Ils doivent être cuits *al dente*. Mettez-les dans la soupière.

3. Passez le bouillon de tomates à travers une étamine. Versez-le dans la soupière. Ajoutez les jaunes d'œufs et le beurre. Fouettez vivement. Servez le fromage râpé à part.

Potage Marie-Louise

Préparation : 20 mn
Cuisson : 30 mn

1 petit céleri-rave
250 g de pommes de terre
1,75 l d'eau
25 cl de lait
2 jaunes d'œufs
50 g de beurre
1 cuillerée à soupe
  de cerfeuil haché
Sel

1. Épluchez le céleri-rave et les pommes de terre, lavez-les et coupez-les en morceaux.

2. Faites cuire les légumes dans l'eau salée. Passez-les au presse-purée. Remettez le potage sur le feu, ajoutez le lait. Donnez une ébullition.

3. Mettez les jaunes d'œufs battus dans la soupière et versez le potage dessus en remuant avec le fouet. Ajoutez le beurre. Mélangez et ajoutez la cuillerée de cerfeuil haché.

Potage de navets au lait

Préparation : 15 mn
Cuisson : 30 mn

500 g de navets
2 l de lait
350 g de pommes de terre
1 pointe de noix muscade
  râpée
50 g de beurre
Sel, poivre

1. Épluchez les navets et les pommes de terre, coupez-les en rondelles. Mettez-les dans une casserole. Couvrez d'eau, salez et laissez cuire pendant 30 minutes.

2. Égouttez les légumes. Passez-les au presse-purée, ajoutez le lait, la pointe de muscade, salez, poivrez. Portez à ébullition tout en fouettant.

3. Ajoutez le beurre et servez aussitôt.

Potage à l'oseille 🍲

Préparation : 15 mn
Cuisson : 30 mn

*2 grosses poignées
d'oseille
500 g de pommes de terre
50 g de beurre
2 cuillerées à soupe
de crème fraîche
2 l de bouillon
Fromage râpé
Sel, poivre*

1. Lavez et épongez l'oseille. Faites-la étuver tout doucement dans le beurre.

2. Lorsqu'elle est fondue, ajoutez les pommes de terre épluchées, lavées et coupées en morceaux. Couvrez avec le bouillon. Salez. Poivrez. Laissez cuire pendant 30 minutes.

3. Passez au moulin à légumes. Rectifiez l'assaisonnement si nécessaire. Ajoutez la crème, mélangez bien.

4. Servez le potage avec du fromage râpé.

Potage à l'oseille et au concombre 🍲

Dégorgement : 1 h
Préparation : 10 mn
Cuisson : 20 mn

*2 grosses poignées
d'oseille
1 gros concombre
1 oignon
100 g de mie de pain
rassise
2 jaunes d'œufs
50 g de beurre
2 l de bouillon
Gros sel
Sel fin, poivre*

1. Épluchez le concombre, coupez-le en rondelles et couvrez-le de gros sel. Laissez-le dégorger pendant 1 heure. Lavez-le et épongez-le.

2. Lavez l'oseille, faites-la étuver doucement dans le beurre. Mouillez avec le bouillon. Ajoutez les rondelles de concombre, l'oignon et la mie de pain. Salez, poivrez et laissez cuire pendant 20 minutes.

3. Passez le potage au tamis. Faites la liaison dans la soupière sur les jaunes d'œufs.

4. Rectifiez l'assaisonnement si nécessaire avant de servir.

Ouillat 🍲

Préparation : 10 mn
Cuisson : 30 mn

75 g de graisse d'oie
2 oignons
3 gousses d'ail
1 bouquet garni
2 l de bouillon de
*   haricots, de fèves,*
*   d'asperges ou de pois*
*   secs*
2 œufs entiers
1 filet de vinaigre
8 larges tranches
*   de pain rassis*
Sel, poivre

1. Hachez finement l'oignon et l'ail.

2. Faites fondre la graisse d'oie à feu doux, ajoutez l'ail et l'oignon hachés que vous faites revenir tranquillement.

3. Mouillez avec le bouillon, ajoutez le bouquet garni, salez, poivrez, amenez à ébullition et faites cuire à petits bouillons pendant 20 minutes.

4. Mettez les œufs dans la soupière, ajoutez le filet de vinaigre, battez-les.

5. Versez le potage brûlant sur les œufs en les passant à l'étamine. Rectifiez l'assaisonnement si nécessaire.

6. Disposez les tranches de pain dans les assiettes et versez le bouillon dessus.

Potage Parmentier 🍲

Préparation : 20 mn
Cuisson : 50 mn

750 g de pommes de terre
3 gros poireaux
1 bouquet garni
50 g de beurre
2 cuillerées à soupe
*   de crème fraîche*
2 l de bouillon
Sel

1. Épluchez, lavez et émincez les poireaux.

2. Faites-les blondir tout doucement au beurre. Ajoutez les pommes de terre épluchées, lavées et coupées en morceaux. Mouillez avec le bouillon. Salez et laissez cuire pendant 40 minutes avec le bouquet garni.

3. Passez le potage au presse-légumes. Ajoutez la crème fraîche.

Potage du pauvre homme 🍲

Préparation : 10 mn
Cuisson : 20 mn

5 œufs
10 feuilles de chou vert
2 l de bouillon
3 cuillerées à soupe
  d'huile de tournesol
1 rasade d'huile d'olive
Sel, poivre

1. Cassez les œufs dans une terrine, ajoutez le sel, le poivre, battez-les. Faites une omelette dans une poêle avec l'huile de tournesol. Laissez-la refroidir et coupez de fines lamelles.

2. Lavez et coupez en julienne les feuilles de chou. Faites-les blanchir dans de l'eau bouillante salée pendant 10 minutes. Égouttez-les.

3. Mettez les lamelles d'omelette et de chou dans une soupière. Versez dessus le bouillon brûlant. Ajoutez l'huile d'olive et servez.

Potage du Périgord 🍲

Trempage : 5 à 6 h
Préparation : 20 mn
Cuisson : 4 h + 4 h 15

5 œufs
1 langue de bœuf
2 carottes
1 oignon
1 bouquet garni
2 l de consommé blanc
  (p. 45)
Croûtons frits
Sel, poivre

1. Nettoyez la langue de bœuf et laissez-la dégorger pendant 5 à 6 heures dans de l'eau froide. Mettez-la dans une cocotte, couvrez-la d'eau froide et faites-la blanchir pendant 15 minutes. Rafraîchissez-la à l'eau froide.

2. Faites 2 fines omelettes avec les œufs. Laissez-les refroidir et coupez des rondelles avec un petit emporte-pièces.

3. Remettez la langue de bœuf dans une nouvelle eau avec les carottes épluchées, l'oignon et le bouquet garni. Salez. Laissez cuire à tout petit feu pendant 3 à 4 heures. Égouttez-la, laissez-la refroidir, et coupez-la en lamelles.

4. Mettez dans la soupière les lamelles de langue, les rondelles d'omelette et des croûtons frits dans du beurre. Versez le consommé dessus et servez aussitôt.

Potage de pois cassés ☕

Préparation : 10 mn
Cuisson : 1 h 35

450 g de pois cassés
50 g de lard
1 bouquet garni
50 g de beurre
1 cuillerée à soupe
  de cerfeuil haché
1,5 l d'eau
1 verre de lait
Croûtons frits
Sel

1. Mettez les pois dans une casserole avec le bouquet garni, le lard, l'eau, faites-les cuire à petit feu pendant 1 h 30.

2. Retirez le lard et passez au presse-purée.

3. Allongez le potage avec le lait chaud. Ajoutez le morceau de beurre. Salez. Mélangez bien. Versez dans la soupière, parsemez de cerfeuil haché et servez avec des croûtons frits dans du beurre.

Potage au potiron ☕

Préparation : 30 mn
Cuisson : 50 mn

1 potiron de taille
  moyenne (que vous
  choisirez avec une base
  bien plate)
1 oignon
3 pommes de terre
1 branche de céleri
1 branche de persil
Huile
Gruyère râpé
2 l d'eau
2 cuillerées à soupe
  de crème fraîche
Sel

1. Coupez le tiers supérieur du potiron. Évidez-le en vous servant d'abord d'un couteau pointu puis d'une cuillère à soupe. Retirez les graines et coupez les chairs en dés.

2. Épluchez l'oignon, les pommes de terre et coupez-les en rondelles. Retirez les fils du céleri.

3. Mettez l'huile dans une casserole et faites légèrement blondir les légumes. Mouillez avec l'eau. Salez, ajoutez le persil et laissez cuire pendant 40 minutes.

4. L'écorce du potiron vous servira de soupière. Mettez-la à chauffer légèrement à four moyen pendant 10 minutes.

5. Passez le potage au presse-purée. Ajoutez la crème fraîche. Versez le potage dans le potiron et servez-le accompagné de gruyère râpé.

Potage au pourpier 🍲

Préparation : 15 mn
Cuisson : 1 h 15

60 g de feuilles
de pourpier
80 g de feuilles d'oseille
20 g de feuilles
de cerfeuil
1 oignon
500 g de petits pois
écossés
75 g de beurre
1,75 l d'eau
Sel

1. Lavez séparément toutes les herbes, détaillez-les finement au couteau.
2. Épluchez et hachez très fin l'oignon.
3. Dans une grande casserole, mettez la moitié du beurre puis ajoutez le pourpier, l'oseille, le cerfeuil, l'oignon, qui vont fondre tout doucement. Remuez souvent avec une spatule. Conduisez cette cuisson à feu doux et en remuant pendant 30 minutes.
4. Ajoutez l'eau. Salez. Versez les pois écossés. Amenez à ébullition puis réduisez le feu et laissez bouillotter pendant 45 minutes.
5. Versez dans la soupière, ajoutez le beurre restant et servez sans attendre.

Potage à la reine 🍲🍲

Préparation : 10 mn
Cuisson : 1 h 20

1 petit poulet
1 douzaine d'amandes
douces
6 jaunes d'œufs durs
50 g de mie de pain
rassise
1 blanc de poireau
5 cuillerées à soupe
de crème fraîche
1 petite branche de céleri
3 l d'eau
Sel

1. Mondez les amandes. Mettez le poulet dans une grande casserole avec le blanc de poireau, le céleri, le sel. Couvrez avec 3 l d'eau et faites cuire à petits bouillons pendant 1 heure environ.
2. Faites tremper la mie de pain dans un peu de bouillon.
3. Retirez la peau du poulet. Enlevez les chairs.
4. Commencez par les hacher finement au hachoir à main, puis mettez-les dans un mortier avec les amandes. Pilez le tout afin d'obtenir une purée, puis ajoutez les jaunes d'œufs durs et la mie de pain tout en continuant d'écraser.
5. Mettez le tout dans une terrine. Versez la crème fraîche. Remuez, puis ajoutez 2 l de bouillon de poulet. Mélangez intimement le tout. Versez dans une casserole. Portez à ébullition sans cesser de remuer. Retirez du feu au premier bouillon.
6. Rectifiez l'assaisonnement si nécessaire. Servez aussitôt.

Potage de riz aux champignons 🍲

Préparation : 20 mn
Cuisson : 1 h 10

125 g de riz grain rond
2 carottes
2 navets
60 g de cèpes séchés
40 g de saindoux
(ou autre graisse)
2,5 l d'eau
Sel

1. Épluchez, lavez et coupez les légumes en julienne. Lavez le riz dans plusieurs eaux.
2. Faites fondre la graisse dans une grande casserole et ajoutez-y la julienne de légumes. Faites blondir tout doucement. Ajoutez l'eau, salez et laissez cuire pendant 1 heure ; 20 minutes avant la fin de la cuisson, ajoutez le riz.
3. Pendant ce temps, faites tremper les cèpes dans de l'eau chaude pendant 10 minutes. Pressez-les, hachez-les et ajoutez-les au potage.
4. Continuez la cuisson pendant 10 minutes. Rectifiez l'assaisonnement si nécessaire.

Potage aux rosés-des-prés 🍲

Préparation : 15 mn
Cuisson : 2 h 15 + 15 mn

250 g de champignons
rosés-des-prés nettoyés
1 truffe
2 cuillerées à soupe
de tapioca
60 g de beurre
1,5 l de consommé
de volaille clarifié
(p. 47)
Sel, poivre

1. Lavez très soigneusement les rosés-des-prés et hachez-les finement.
2. Épluchez finement la truffe. Hachez-la.
3. Mettez 30 g de beurre avec les champignons dans une poêle, faites-les revenir. Débarrassez-les dans une soupière.
4. Versez le tapioca dans le consommé. Amenez à ébullition. Ajoutez la truffe. Faites cuire pendant 5 minutes. Rectifiez l'assaisonnement si nécessaire.
5. Versez le consommé sur les champignons, puis le reste de beurre. Mélangez et servez bien chaud.

N.B. : mettez les pelures de truffe dans un peu d'huile de noix. Laissez-les macérer pendant une dizaine de jours. Vous utiliserez cette huile pour assaisonner une salade. C'est délicieux.

Potage Saint-Germain 🍲

Préparation : 15 mn
Cuisson : 30 mn

*1 kg de petits pois frais
    écossés
Le cœur de 1 laitue
1 cuillerée à soupe
    de pluches de cerfeuil
60 g de beurre
2 l d'eau
Croûtons grillés
Sel*

1. Mettez les petits pois écossés dans une casserole. Couvrez avec l'eau, ajoutez le cœur de laitue, salez et faites cuire à feu vif pendant 30 minutes.

2. Passez les petits pois au tamis. Ajoutez le beurre, les pluches de cerfeuil et servez aussitôt avec des petits croûtons grillés.

Potage aux salsifis 🍲

Préparation : 10 mn
Cuisson : 50 mn

*12 salsifis
350 g de pommes de terre
1 oignon
2 jaunes d'œufs
2 cuillerées à soupe
    de crème fraîche
1 morceau de sucre
2 l d'eau
1 cuillerée à soupe
    de cerfeuil haché
1 l d'eau vinaigrée
Sel*

1. Épluchez les salsifis avec un couteau économe (en prenant soin de mettre des gants, c'est moins salissant), et mettez-les au fur et à mesure dans l'eau vinaigrée pour qu'ils ne noircissent pas. Coupez-les en tronçons et plongez-les dans de l'eau bouillante salée. Ajoutez le sucre.

2. Au bout de 10 minutes de cuisson, ajoutez les pommes de terre épluchées, lavées et coupées en morceaux, l'oignon épluché et émincé. Continuez la cuisson pendant 30 minutes.

3. Passez les légumes au presse-purée.

4. Faites la liaison dans la soupière avec les jaunes d'œufs. Remuez avec le fouet et ajoutez la crème fraîche. Rectifiez l'assaisonnement si nécessaire et ajoutez le cerfeuil.

Potage Sarah-Bernhardt

La recette de ce potage est extraite de *La Vie à table à la fin du XIXᵉ siècle,* de Châtillon-Plessis, Firmin-Didot, 1894.

« Tenez en ébullition sur le côté du feu la valeur de deux litres de fond de potage lié blond, préparé avec moitié de bouillon de volailles clair, moitié court-bouillon succulent ; faites-le dépouiller vingt-cinq minutes en écumant. Faites revenir au beurre une mirepoix de légumes avec oignons émincés, aromates, pelures de champignons ; mouillez avec une demi-bouteille de champagne ; au premier bouillon, retirez le liquide du feu.

« Choisissez sept cents à huit cents grammes de crevettes rouges de moyenne grosseur, vivantes. Cuisez-les en deux fois, sept à huit minutes, sur le feu vif dans la mirepoix préparée. Enlevez-les à l'écumoire pour les faire égoutter.

« Détachez la queue des coffres des crevettes après en avoir retiré les pattes fines, supprimez-en les coquilles en faisant attention de ne pas briser les chairs ; mettez les deux tiers de celles-ci dans une petite casserole pour les tenir au frais et à couvert.

« Pilez le restant des chairs avec un morceau de beurre, trois à quatre jaunes d'œufs crus ; assaisonnez, passez-les au tamis, tenez cette purée au frais dans une petite terrine.

« Pilez les coquilles des queues avec les coffres des crevettes ; mêlez-les au potage ; cuisez-les deux minutes. Passez le potage ; dégraissez-le ; remettez dans la casserole ; mêlez-lui une cuillère de poivre rouge et deux d'Espagne, incorporez-lui peu à peu quelques morceaux de beurre frais et beurre rouge pour rendre crémeux.

« Mettez dans la soupière une garniture composée de petites asperges blanches et vertes, coupées de deux à trois centimètres de long, cuites simplement à l'eau salée, mais séparément, mêlées ensuite avec un tiers de leur volume de bâtonnets en truffe cuite, coupés avec un tube extrait de la boîte à colonne de même longueur que les têtes d'asperges, mais moins épais ; en dernier lieu, ajoutez à la garniture les queues de crevettes réservées ; versez le potage dessus, servez-le. »

Préparation : 15 mn + 40 mn
Cuisson : 2 h 15 + 15 mn

Potage savoyard 🍲

Préparation : 20 mn
Cuisson : 50 mn

1 petit céleri-rave
2 poireaux
2 navets
400 g de pommes de terre
1 oignon
200 g de lard
4 cuillerées à soupe
  d'huile
2 l d'eau
25 cl de lait
50 g de beurre
Gruyère râpé
Pain
Sel

1. Épluchez tous les légumes, lavez-les et coupez-les en morceaux.

2. Hachez le lard et faites-le revenir dans l'huile. Ajoutez les légumes et laissez-les étuver tout doucement. Mouillez avec l'eau, salez et laissez cuire pendant 40 minutes.

3. Passez les légumes au presse-purée, remettez sur le feu, ajoutez le lait, donnez une ébullition. Retirez du feu et ajoutez le beurre.

4. Mettez des tranches de pain dans les assiettes, ajoutez le fromage râpé et versez dessus le potage bouillant.

Potage soissonnais 🍲

Préparation : 15 mn
Cuisson : 1 h 30

750 g de haricots blancs
  frais
1 oignon
1 carotte
50 g de beurre
50 g de crème fraîche
1,5 l de bouillon
25 cl de lait
1 bouquet garni
Sel

1. Épluchez la carotte et l'oignon. Écossez les haricots.

2. Mettez les légumes et le bouquet garni dans une grande cocotte, couvrez largement d'eau, salez et laissez cuire à feu vif pendant 1 h 30.

3. Retirez le bouquet garni, passez les légumes au presse-purée.

4. Remettez dans la marmite, ajoutez le bouillon, le lait. Portez à ébullition. Retirez du feu.

5. Faites la liaison avec le beurre et la crème fraîche dans la soupière.

Potage Solferino ☙

Préparation : 20 mn
Cuisson : 1 h

750 g de tomates
100 g de blanc
  de poireau
100 g de carottes
500 g de pommes de terre
1 bouquet garni
1 gousse d'ail
1 cuillerée à soupe
  de pluches de cerfeuil
100 g de beurre
1,5 l de bouillon
Sel

1. Épluchez les carottes. Émincez-les ainsi que le blanc de poireau. Faites étuver ces légumes pendant 15 minutes avec 30 g de beurre. Réservez.

2. Épluchez les pommes de terre, lavez-les. Réservez une moitié que vous coupez en morceaux, tandis que dans l'autre moitié, avec une cuillère parisienne, vous levez une vingtaine de boules environ. Faites cuire ces boules dans de l'eau bouillante salée pendant 15 minutes. Égouttez et réservez.

3. Pelez et épépinez les tomates. Écrasez la pulpe et ajoutez-la au mélange carottes-poireau. Laissez fondre à feu doux et à couvert 15 minutes, puis mouillez avec le bouillon après avoir ajouté les pommes de terre, le bouquet garni et la gousse d'ail. Continuez la cuisson pendant 30 minutes encore.

4. Retirez le bouquet garni, passez le potage au moulin à légumes. Remettez sur le feu, ajoutez les boules de pommes de terre. Laissez-les bouillotter 5 minutes.

5. Versez dans la soupière, ajoutez le beurre. Mélangez, parsemez de pluches de cerfeuil et servez sans attendre.

Potage Soubise ☙

Préparation : 15 mn
Cuisson : 1 h

500 g d'oignons
60 g de beurre
50 g de mie de pain
  rassise
1 verre de lait
2 l de bouillon
Croûtons frits
Sel, poivre

1. Épluchez, émincez les oignons et faites-les fondre dans le beurre en évitant de le faire roussir.

2. Ajoutez la mie de pain trempée auparavant dans un peu de bouillon. Mouillez avec le bouillon, salez et laissez cuire à petit feu pendant 45 minutes.

3. Passez au presse-purée. Remettez sur le feu le bouillon filtré avec le lait. Portez à ébullition. Rectifiez l'assaisonnement et servez avec des croûtons frits au beurre.

Potage de topinambours 🍲

Préparation : 10 mn
Cuisson : 35 mn

600 g de topinambours
1 gros oignon
100 g de beurre
60 cl de lait
25 g de fécule
2 jaunes d'œufs
10 cl de crème fleurette
1 dizaine de noisettes
1,5 l de bouillon
Pluches de cerfeuil
Croûtons grillés
Sel

1. Grillez les noisettes dans une poêle à revêtement antiadhésif et écrasez-les grossièrement.

2. Épluchez, lavez et émincez les topinambours. Faites de même avec l'oignon.

3. Mettez 40 g de beurre dans une casserole et étuvez ces légumes pendant 5 minutes. Ajoutez les noisettes et mouillez avec le bouillon. Salez. Amenez à ébullition, couvrez et laissez cuire doucement pendant 20 minutes.

4. Délayez la fécule avec 10 cl de lait froid.

5. Passez les légumes au tamis. Ajoutez 50 cl de lait bouilli, puis la fécule délayée. Mélangez. Amenez à ébullition tout en tournant et laissez bouillotter 5 minutes.

6. Mélangez la crème fleurette aux jaunes d'œufs. Faites la liaison en versant dessus le bouillon par petites quantités. Mélangez bien. Remettez dans la casserole et amenez tout doucement à ébullition.

7. Retirez du feu au premier bouillon. Versez le potage dans une soupière. Ajoutez le beurre coupé en morceaux et le cerfeuil. Présentez le potage accompagné de croûtons grillés.

LES BISQUES

Actuellement, les bisques sont des purées à base de crustacés, servies sous forme de potages. Mais il n'en fut pas toujours ainsi. S'il est souvent difficile de remonter à l'origine exacte des choses, on sait toutefois qu'il y eut dans les siècles passés des bisques de pigeon, de cailles, et qu'elles furent très en vogue au XVIII\ :sup:`e` siècle. Mais, note le *Larousse gastronomique,* « de tout temps, les bisques, qu'elles soient préparées avec des crustacés, de la volaille ou du gibier, ont été considérées comme des préparations de haut style ».

Bisque de crevettes 🍲🍲

Préparation : 15 mn
+ 30 mn
Cuisson : 45 mn + 50 mn

1 branche de céleri
1 oignon
1 carotte
50 cl de vin blanc sec
1,75 l de consommé
de poisson (p. 47)
1 bouquet garni
2 cuillerées à soupe
d'huile
50 g de beurre
2 jaunes d'œufs
1 cuillerée à soupe
de crème fraîche
1 cuillerée à café
de fécule de pomme
de terre
800 g de crevettes
Sel, poivre

1. Épluchez les légumes. Lavez-les et coupez-les en morceaux.

2. Faites fondre le beurre dans une casserole, ajoutez l'huile et faites revenir tout doucement les crevettes crues et entières avec les légumes coupés en morceaux. Ne laissez pas dorer.

3. Mouillez avec le vin blanc et le consommé de poisson. Salez, ajoutez le bouquet garni et laissez cuire pendant 30 minutes.

4. Retirez le bouquet garni et les crevettes. Décortiquez les crevettes. Pilez les têtes dans un mortier. Réservez le jus obtenu.

5. Passez les crevettes et les légumes au presse-légumes, puis au chinois. Remettez la bisque dans la casserole et tenez au chaud. Ajoutez le jus des têtes.

6. Mettez les jaunes d'œufs dans la soupière avec la crème fraîche et la fécule. Mélangez. Versez le potage par petites quantités sur la liaison tout en fouettant. Ajoutez le poivre.

7. Remettez dans la casserole. Portez tout doucement jusqu'à ébullition en tournant constamment avec une spatule. Retirez du feu à l'apparition du premier bouillon. Versez dans la soupière et servez aussitôt.

Bisque de homard ●●●

Préparation : 15 mn
+ 40 mn
Cuisson : 45 mn + 40 mn

1,500 kg de homards
1 gros oignon
2 carottes
1 branche de céleri
1 gousse d'ail
1 bouquet garni
3 queues de persil
4 cuillerées à soupe
   d'huile
50 cl de vin blanc sec
1 verre de cognac
2 l de consommé de
   poisson (p. 47)
1 cuillerée à café
   de fécule de pomme
   de terre
80 g de beurre
2 cuillerées à soupe
   de crème fraîche
4 jaunes d'œufs
Sel, poivre

1. Épluchez, lavez et coupez tous les légumes en morceaux.

2. Plongez les homards dans le court-bouillon et laissez-les cuire 10 minutes après la reprise de l'ébullition.

3. Égouttez-les et coupez-les en tronçons. Conservez le jus, le corail et les parties crémeuses.

4. Faites chauffer l'huile dans une cocotte et faites colorer les morceaux de homard, ainsi que les coffres. Mouillez avec le cognac, flambez et ajoutez le vin blanc, le consommé de poisson, ainsi que le bouquet garni, les queues de persil, l'ail, l'oignon, les carottes et le céleri. Salez. Laissez cuire 10 minutes.

5. Décortiquez les homards. Écrasez les chairs au mortier en y ajoutant le corail, les parties crémeuses et le jus réservé.

6. Pilez les coffres dans un mortier. Remettez dans le court-bouillon et laissez cuire encore 10 minutes. Passez le bouillon pour retirer les coffres.

7. Mettez les jaunes d'œufs, la crème fraîche et la fécule dans une terrine. Mélangez et versez le bouillon tout en fouettant. Remettez dans la casserole, ajoutez la purée obtenue avec les chairs, poivrez. Amenez tout doucement à ébullition. Retirez du feu au premier bouillon.

8. Ajoutez le beurre et servez.

Bisque de langoustines ✿✿✿

(Voir Bisque de homard, p. 88.) Le homard est remplacé par les langoustines, qui sont moins onéreuses. Le reste des ingrédients est identique, tout comme le déroulement du travail.

Préparation : 15 mn + 40 mn
Cuisson : 45 mn + 40 mn

Bisque de tourteaux ✿✿✿

Préparation : 15 mn
+ 45 mn
Cuisson : 45 mn + 50 mn

2 tourteaux
2 carottes
1 oignon
1 bouquet garni
4 jaunes d'œufs
3 cuillerées à soupe
de crème fraîche
1 cuillerée à café
de fécule de pomme
de terre
50 g de beurre
3 cuillerées à soupe
d'huile de tournesol
50 cl de vin blanc sec
2 l d'eau ou de
consommé de poisson
(p. 47)
Sel, poivre

1. Défaites les tourteaux après les avoir fait cuire dans de l'eau bouillante salée pendant 20 minutes.

2. Réservez les pinces, le corail et le jus intérieur. Pilez le coffre et les pattes après les avoir brisées avec un casse-noix.

3. Faites fondre le beurre dans une casserole, ajoutez l'huile et faites sauter vivement les coffres et les pattes.

4. Ajoutez les carottes épluchées et coupées en morceaux, l'oignon émincé, le bouquet garni. Mouillez avec le vin blanc sec et l'eau ou le consommé. Salez, poivrez et laissez cuire pendant 20 minutes.

5. Décortiquez les chairs des pinces des tourteaux et passez-les au moulin à légumes, grille fine, avec le corail et le jus. Mettez-les dans une grande casserole avec la fécule, les jaunes d'œufs et la crème fraîche. Mélangez intimement pour obtenir une purée bien homogène.

6. Passez le potage au chinois et versez le bouillon sur la purée. Fouettez. Amenez tout doucement à ébullition sans cesser de tourner. Retirez du feu au premier bouillon et servez aussitôt.

LES POTAGES-CRÈMES

L'élément de liaison des potages-crèmes est la sauce Béchamel. Chaque fois que cela est possible, utilisez l'eau de cuisson des légumes pour récupérer les sels minéraux.

Crème d'artichauts ☕

Préparation : 20 mn
Cuisson : 45 mn

4 gros artichauts
2 l de lait
50 g de crème de riz
60 g de beurre
Vinaigre
1 pointe de noix muscade
  râpée
2 jaunes d'œufs
Sel, poivre

1. Parez les artichauts, lavez-les dans de l'eau vinaigrée et faites-les cuire dans de l'eau bouillante salée pendant 40 minutes.
2. Retirez le foin et passez les fonds au presse-purée.
3. Faites une sauce Béchamel avec la crème de riz, le beurre et le lait (voir p. 33).
4. Salez, poivrez, ajoutez la muscade râpée, et versez la purée d'artichauts dans la sauce. Laissez cuire 5 minutes tout en remuant avec la spatule. Versez le potage dans la soupière sur les jaunes d'œufs battus.

Crème d'asperges ☕

Préparation : 45 mn
Cuisson : 45 mn

750 g d'asperges
60 g de crème de riz
60 g de beurre
50 g de crème fraîche
2 l d'eau
Sel, poivre

1. Épluchez les asperges avec un couteau économe en commençant par l'extrémité de la tige. Lavez-les et plongez-les pendant 15 minutes dans de l'eau bouillante salée.
2. Faites un roux avec le beurre et la crème de riz (voir Sauce Béchamel, p. 33). Mouillez avec l'eau de cuisson des asperges, portez à ébullition tout en remuant.
3. Salez, poivrez et ajoutez les asperges blanchies. Laissez cuire pendant 25 minutes. Passez au presse-purée. Ajoutez la crème fraîche et servez sans attendre.

Crème d'avoine 🍲

Préparation : 5 mn
Cuisson : 35 mn

150 g de farine d'avoine
50 g de crème fraîche
1,5 l de lait
50 cl de bouillon
1 cuillerée à soupe
de cerfeuil haché
Sel

1. Mélangez le bouillon et le lait.
2. Délayez la farine d'avoine avec le liquide petit à petit afin d'éviter la formation de grumeaux. S'il y en avait malgré tout, fouettez vivement avec un fouet, ils disparaîtront.
3. Salez, mettez sur le feu et portez à ébullition sans cesser de remuer afin d'éviter la formation de grumeaux. Laissez cuire tout doucement 30 minutes. Écumez et ajoutez la crème fraîche et le cerfeuil.

Crème bretonne 🍲

Préparation : 10 mn
Cuisson : 35 mn

250 g de bouquets
de chou-fleur
1 botte de cresson
60 g de beurre
50 g de crème de riz
1,5 l d'eau
2 cuillerées à soupe
de crème fraîche
Sel, poivre

1. Lavez très soigneusement le cresson après l'avoir équeuté. Blanchissez les bouquets de chou-fleur et les feuilles de cresson dans de l'eau bouillante salée pendant 15 minutes. Passez-les au tamis.
2. Faites un roux avec le beurre, la crème de riz et l'eau de cuisson des légumes (voir Sauce Béchamel, p. 33). Salez, poivrez, portez à ébullition. Laissez cuire à petits bouillons 10 minutes.
3. Ajoutez la purée de légumes et la crème fraîche. Mélangez bien.

Crème de céleri 🍲

Préparation : 10 mn
Cuisson : 1 h 10

2 pieds de céleri bien
blancs
2 l de lait
75 g de beurre
60 g de crème de riz
3 jaunes d'œufs
Sel, poivre

1. Lavez les pieds de céleri et blanchissez-les dans de l'eau bouillante salée pendant 1 heure.
2. Égouttez-les et passez-les au tamis. Ajoutez-les au roux que vous aurez fait avec le beurre, la crème de riz et le lait (voir Sauce Béchamel, p. 33).
3. Salez, poivrez. Faites la liaison avec les jaunes d'œufs.

Crème de chicorée 🍲

Préparation : 20 mn
Cuisson : 1 h 10

*1 chicorée de 500 g
   environ
60 g de crème de riz
75 g de beurre
2 l de lait
2 cuillerées à soupe
   de crème fraîche
Sel, poivre*

1. Nettoyez la chicorée et faites cuire les feuilles à l'eau bouillante salée pendant 1 heure environ. Vous aurez auparavant réservé 1 ou 2 feuilles que vous cisèlerez en fine julienne et mettrez de côté.

2. Égouttez, pressez les feuilles entre vos mains et écrasez-les finement au tamis.

3. Ajoutez-les au roux que vous aurez fait auparavant avec le beurre, la crème de riz et le lait (voir Sauce Béchamel, p. 000). Remettez le tout quelques minutes sur le feu. Rectifiez l'assaisonnement si nécessaire.

4. Ajoutez la crème fraîche, mélangez bien, puis ajoutez la julienne. Servez bien chaud.

Crème de crosnes 🍲

Le nettoyage des crosnes est long et assez fastidieux. Mais ces petits légumes au goût proche de l'artichaut sont délicieux. La meilleure façon pour les nettoyer est de les mettre dans un torchon de toile serré avec une poignée de gros sel, puis de les secouer et de les frotter fortement pour détacher la peau, enfin de les laver dans une eau bien vinaigrée.

Préparation : 15 mn
Cuisson : 30 mn

*500 g de crosnes
60 g de crème de riz
75 g de beurre
2 l de bouillon
2 cuillerées à soupe
   de crème fraîche
Eau vinaigrée
Gros sel, poivre*

1. Frottez les crosnes avec le gros sel et lavez-les à l'eau vinaigrée.

2. Coupez-les en morceaux. Faites-les étuver tout doucement dans 30 g de beurre pendant 20 minutes. Poivrez.

3. Passez-les au tamis et ajoutez-les au roux que vous aurez fait avec le beurre restant, la crème de riz et le bouillon (voir Sauce Béchamel, p. 33). Ajoutez la crème fraîche et servez.

Crème au curry 🍲

Préparation : 10 mn
Cuisson : 30 mn

*1 cuillerée à café
  de curry
75 g de beurre
60 g de crème de riz
1 oignon
20 cl de crème fraîche
1,5 l de bouillon
1 poignée de vermicelles
  fins
Sel*

1. Épluchez et émincez l'oignon, faites-le fondre à feu très doux dans le beurre. Saupoudrez de crème de riz, mouillez avec le bouillon, salez et laissez cuire 20 minutes à feu très doux.

2. Passez au tamis, remettez le bouillon sur le feu et ajoutez les vermicelles. Laissez cuire 5 minutes. Mélangez le curry à la crème fraîche. Versez dans le potage et mélangez bien.

Crème Du Barry 🍲

Préparation : 10 mn
Cuisson : 35 mn

*500 g de bouquets
  de chou-fleur
80 g de beurre
60 g de crème de riz
2 jaunes d'œufs
25 cl de lait
1,75 l d'eau
Sel*

1. Nettoyez le chou et blanchissez les bouquets pendant 20 minutes dans de l'eau bouillante salée. Réservez plusieurs petits bouquets.

2. Faites un roux avec le beurre et la crème de riz (voir Sauce Béchamel, p. 33). Mouillez avec l'eau de cuisson du chou. Amenez à ébullition sans cesser de remuer.

3. Ajoutez le chou-fleur et laissez cuire 5 à 6 minutes. Salez. Passez au tamis. Remettez sur le feu, ajoutez le lait. Donnez un tour d'ébullition et faites la liaison avec les jaunes d'œufs.

4. Servez en ajoutant les petits bouquets que vous avez réservés.

Crème Fédora ☺☺

Préparation : 20 mn
+ 30 mn
Cuisson : 4 h + 1 h 10

3 l de consommé de
volaille (p. 47)
1 petit poulet
2 blancs de poireaux
1 branche de céleri
25 cl de lait
2 jaunes d'œufs
2 poignées de vermicelles
« cheveux d'ange »
10 cl de crème fraîche
75 g de crème de riz
75 g de beurre
Sel

1. Mettez le poulet dans une marmite avec les blancs de poireaux, le céleri et le consommé blanc. Portez à ébullition et laissez cuire pendant 1 heure à petit feu. Écumez.

2. Désossez la volaille. Réservez les filets et les sot-l'y-laisse (minuscules morceaux de viande de goût très fin se trouvant dans le creux des os iliaques près du croupion). Pilez le restant des chairs. Réservez.

3. Faites un roux avec le beurre et la crème de riz (voir Sauce Béchamel, p. 33). Mouillez avec le consommé. Portez à ébullition. Ajoutez le lait et les vermicelles, et laissez cuire 5 minutes. Salez.

4. Ajoutez au potage la purée de volaille et les chairs détaillées en fines lamelles.

5. Mettez les œufs et la crème fraîche dans la soupière. Versez dessus la crème de volaille. Mélangez et servez sans attendre.

Crème Germiny ☺

Préparation : 15 mn
+ 10 mn
Cuisson : 2 h 15 + 20 mn

2 l de bouillon ou de
consommé de volaille
(p. 47)
100 g d'oseille
4 jaunes d'œufs
20 cl de crème fraîche
50 g de beurre
40 g de crème de riz
Sel, poivre

1. Lavez l'oseille. Faites-la fondre tout doucement dans le beurre. Saupoudrez avec la crème de riz. Mouillez avec le consommé. Amenez à ébullition en remuant, puis laissez cuire tout doucement pendant 15 minutes. Salez, poivrez.

2. Passez au tamis. Remettez sur feu doux.

3. Mettez les jaunes d'œufs et la crème fraîche dans la soupière. Mélangez. Versez dessus le potage bouillant. Remuez, remettez dans la casserole. Portez tout doucement à ébullition. Retirez dès le premier bouillon.

Crème de laitue 🍲

Préparation : 5 mn
Cuisson : 20 mn

*1 vingtaine de feuilles
  de laitue bien vertes
2 l de bouillon
75 g de beurre
60 g de crème de riz
2 jaunes d'œufs
Sel, poivre*

1. Faites blanchir les feuilles de laitue dans de l'eau bouillante salée pendant 5 minutes. Égouttez-les et pressez-les pour en extraire le maximum d'eau.

2. Préparez un roux avec le beurre et la crème de riz (voir Sauce Béchamel, p. 33). Mouillez avec le bouillon et ajoutez les feuilles de laitue grossièrement écrasées. Salez, poivrez et laissez cuire 10 minutes.

3. Passez au tamis et faites la liaison avec les jaunes d'œufs dans la soupière.

Crème Messidor 🍲

Préparation : 10 mn
Cuisson : 40 mn

*350 g poids net de petits
  pois frais écossés
400 g d'asperges
1 poignée de blé vert
60 g de beurre
50 g de crème de riz
2 cuillerées à soupe
  de crème fraîche
2 l d'eau
Sel, poivre*

1. Épluchez et lavez les asperges, et blanchissez-les pendant 15 minutes en même temps que les petits pois.

2. Pochez les grains de blé vert dans de l'eau bouillante salée pendant 7 à 8 minutes. Égouttez et réservez à part.

3. Faites un roux avec le beurre et la crème de riz (voir Sauce Béchamel, p. 33). Mouillez avec l'eau, ajoutez les petits pois et les asperges et laissez cuire pendant 10 minutes. Salez et poivrez.

4. Passez au tamis. Faites la liaison avec la crème fraîche. Mélangez et ajoutez le blé vert. Servez aussitôt.

Crème d'oronges •

Préparation : 15 mn
+ 30 mn
Cuisson : 2 h 15 + 30 mn

500 g net d'oronges
1 laitue
100 g de noisettes
100 g de beurre
2 cuillerées à soupe
  de crème fraîche
2 jaunes d'œufs
1,5 l de bouillon ou de
  consommé de volaille
  (p. 47)
25 cl de lait
50 g de crème de riz
Sel

1. Nettoyez et lavez les champignons.
2. Lavez la laitue. Ciselez-la.
3. Faites fondre 30 g de beurre dans une casserole et mettez la laitue à étuver tout doucement. Ajoutez les champignons. Versez le bouillon. Salez et laissez cuire à feu très doux pendant 25 minutes à partir de l'ébullition.
4. Réduisez les noisettes en poudre. Malaxez-les avec 25 g de beurre. Ajoutez les jaunes d'œufs et la crème. Débarrassez cette pâte dans la soupière.
5. Faites une sauce Béchamel avec le reste de beurre, la crème de riz et le lait (voir p. 33). Ajoutez-y le bouillon comprenant les champignons et la laitue.
6. Versez le tout dans la soupière, mélangez intimement et servez sans attendre.

Crème Régence •

Préparation : 20 mn
+ 10 mn
Cuisson : 2 h 15 + 25 mn

2 l de consommé simple
  (p. 45)
2 petites truffes
2 jaunes d'œufs
75 g de beurre
60 g de crème de riz
Sel

1. Épluchez finement les truffes et conservez les pelures dans un peu d'huile de noix que vous emploierez pour un assaisonnement.
2. Coupez les truffes en fines lamelles et faites-les cuire dans très peu de consommé pendant 10 minutes.
3. Faites un roux avec le beurre et la crème de riz (voir Sauce Béchamel, p. 33). Mouillez avec le consommé restant. Portez à ébullition tout en remuant. Salez, laissez cuire 10 minutes. Faites la liaison avec les jaunes d'œufs et ajoutez les lamelles de truffes.

Crème Du Barry
(voir recette page 93)

Velouté de morilles
(voir recette page 99)

Crème de tomates ☕

Préparation : 10 mn
Cuisson : 25 mn

*750 g de tomates bien
  mûres
1 oignon
1 bouquet garni
75 g de beurre
60 g de crème de riz
3 cuillerées à soupe
  de crème fraîche
2 l d'eau
Sel*

1. Ébouillantez les tomates. Épluchez-les et épépinez-les.

2. Coupez-les en morceaux et faites-les fondre dans le beurre avec l'oignon émincé.

3. Saupoudrez de crème de riz, mouillez avec l'eau, salez et portez à ébullition sans cesser de remuer.

4. Ajoutez le bouquet garni, passez au tamis, ajoutez la crème fraîche.

Crème de topinambours ☕

Préparation : 20 mn
Cuisson : 25 mn

*500 g de topinambours
1 oignon piqué de 2 clous
  de girofle
1 bouquet garni
1 branche de céleri
75 g de beurre
60 g de crème de riz
3 cuillerées à soupe
  de crème fraîche
2 l d'eau
Sel*

1. Nettoyez et lavez le céleri.

2. Épluchez et lavez les topinambours. Blanchissez-les 10 minutes dans de l'eau bouillante salée.

3. Faites un roux avec le beurre et la crème de riz (voir Sauce Béchamel, p. 33). Ajoutez l'eau, les topinambours, le céleri, l'oignon et le bouquet garni. Salez et laissez cuire 10 minutes.

4. Passez au tamis et ajoutez la crème fraîche. Rectifiez l'assaisonnement si nécessaire.

LES VELOUTÉS

Les veloutés sont liés avec des jaunes d'œufs, du beurre ou de la crème. Ils peuvent être accompagnés de diverses garnitures, et se préparent comme les crèmes et les purées, avec toutes sortes de légumes. Lorsque le velouté comporte un roux blanc, son élément de mouillement est un fond blanc de veau, de volaille, un fumet ou un bouillon de légumes.

Velouté aux avocats

Préparation : 10 mn
Cuisson : 25 mn

3 gros avocats bien mûrs
1 oignon
2 gousses d'ail
4 jaunes d'œufs
2 cuillerées à soupe
  de crème fraîche
2 l d'eau
3 cuillerées à soupe
  d'huile de tournesol
1 cuillerée à soupe
  de cerfeuil haché
Sel

1. Épluchez, émincez l'oignon et faites-le revenir dans l'huile avec l'ail épluché. Couvrez d'eau, salez et laissez cuire 20 minutes. Passez au tamis.

2. Épluchez les avocats, coupez-les en deux, retirez le noyau et écrasez les chairs au presse-légumes. Ajoutez les jaunes d'œufs et versez le bouillon sur cette purée. Remettez le tout dans la casserole et amenez tout doucement jusqu'à l'ébullition. Ne laissez pas bouillir.

3. Ajoutez la crème fraîche, mélangez bien et saupoudrez de cerfeuil haché.

Velouté de châtaignes 🍲

Préparation : 35 mn
Cuisson : 47 mn

600 g de châtaignes
75 g de carottes
1 oignon
1/2 branche de céleri
2 l de bouillon
2 jaunes d'œufs
2 cuillerées à soupe
*   de crème fraîche*
Sel

1. Épluchez les carottes, l'oignon, le céleri. Lavez les légumes, coupez-les en morceaux et mettez-les à cuire dans le bouillon pendant 20 minutes.

2. Incisez les châtaignes et faites-les cuire pendant 5 minutes dans de l'eau salée.

3. Interrompez la cuisson. Épluchez les châtaignes en les retirant de l'eau au fur et à mesure. Protégez vos mains avec un torchon afin de ne pas vous brûler.

4. Jetez les châtaignes dans le bouillon et continuez de les cuire pendant 20 minutes.

5. Passez légumes et châtaignes au tamis. Ajoutez les jaunes d'œufs à la purée obtenue. Mouillez avec le bouillon. Remettez 2 minutes sur le feu.

6. Ajoutez la crème fraîche hors du feu et servez aussitôt.

Velouté de morilles 🍲

Préparation : 10 mn
Cuisson : 35 mn

200 g de morilles
1 carotte
1 oignon
50 g de crème fraîche
100 g de beurre
60 g de crème de riz
2 jaunes d'œufs
1,5 l de bouillon
Croûtons grillés frottés
*   à l'ail*
Sel

1. Nettoyez les morilles. Coupez-les en morceaux. Faites-les cuire à feu doux dans 25 g de beurre pendant 5 minutes.

2. Épluchez la carotte et l'oignon. Lavez-les et coupez-les en morceaux.

3. Mettez le bouillon dans une casserole, ajoutez les légumes et les morilles. Salez. Faites cuire pendant 20 minutes.

4. Passez le bouillon au chinois. Mixez les morilles et les légumes.

5. Préparez un roux avec le reste de beurre et la crème de riz (voir Sauce veloutée, p. 34). Mouillez avec le bouillon. Laissez cuire 10 minutes.

6. Ajoutez la purée de morilles et faites la liaison avec la crème fraîche et les jaunes d'œufs.

7. Servez le velouté accompagné des croûtons grillés frottés à l'ail.

Velouté de poireaux 🍲

Préparation : 10 mn
Cuisson : 30 mn

5 poireaux (750 g
environ)
2 l de bouillon
30 g de crème de riz
50 g de beurre
20 cl de crème fraîche
2 jaunes d'œufs
1 cuillerée à soupe
de persil haché
Sel, poivre

1. Nettoyez les poireaux, lavez-les et coupez-les en julienne. Blanchissez-les dans de l'eau bouillante salée pendant 20 minutes.

2. Faites un roux avec le beurre et la crème de riz (voir Sauce veloutée, p. 34). Ajoutez le bouillon, les poireaux et continuez la cuisson pendant 10 minutes. Salez, poivrez.

3. Passez le potage au mixeur. Faites la liaison avec les jaunes d'œufs et la crème fraîche, saupoudrez de persil haché.

Velouté de potimarron 🍲

Préparation : 40 mn
Cuisson : 35 mn

200 g de potimarron
400 g de châtaignes
1 oignon
2 jaunes d'œufs
2 cuillerées à soupe
de crème fraîche
Noix muscade râpée
2 l de bouillon
Sel

1. Épluchez le potimarron et l'oignon. Lavez-les et coupez-les en morceaux.

2. Incisez les châtaignes sur tout le pourtour. Mettez-les dans de l'eau froide salée et faites-les cuire pendant 5 minutes. Épluchez-les en les retirant de l'eau au fur et à mesure pour ne pas vous brûler.

3. Lorsque les deux peaux des châtaignes sont enlevées, mettez-les dans une grande casserole avec le bouillon, le potimarron et l'oignon. Salez et faites cuire pendant 25 minutes. Filtrez le bouillon.

4. Passez les légumes au tamis. Ajoutez un peu de noix muscade râpée et les jaunes d'œufs. Mélangez bien.

5. Versez le bouillon sur la purée. Remettez sur le feu. Amenez à ébullition. Retirez du feu, ajoutez la crème fraîche, mélangez et servez bien chaud.

Velouté de ris de veau 🍲🍲

Dégorgement : 5 à 6 h
Préparation : 20 mn
  + 15 mn
Cuisson : 4 h + 25 mn

2 l de consommé blanc
  simple de veau
  (p. 45)
1 ris de veau
75 g de riz
50 g de beurre
40 g de crème de riz
3 jaunes d'œufs
2 cuillerées à soupe
  de crème fraîche
Sel

1. Faites dégorger le ris de veau dans de l'eau froide pendant 5 à 6 heures en changeant l'eau plusieurs fois.

2. Mettez-le dans une casserole remplie d'eau froide légèrement salée et portez à ébullition. Laissez bouillir pendant 5 minutes. Retirez-le de l'eau et faites-le refroidir à l'eau courante. Retirez les peaux et les nerfs. Essuyez le ris et coupez-le en dés. Réservez.

3. Préparez un roux avec le beurre et la crème de riz (voir Sauce veloutée, p. 34). Mouil-lez-le avec le consommé. Portez à ébullition tout en fouettant. Ajoutez le riz, salez et laissez cuire 15 minutes.

4. Faites la liaison avec les jaunes d'œufs et la crème fraîche. Ajoutez les dés de ris de veau.

Velouté de volaille 🍲🍲

Préparation : 30 mn
Cuisson : 1 h 15

Les abattis de 1 volaille
1 branche de céleri
1 gros oignon piqué
  de 3 clous de girofle
4 queues de persil
1 blanc de poireau
1 tomate
1 carotte
50 g de beurre
40 g de crème de riz
2 jaunes d'œufs
2 cuillerées à soupe
  de crème fraîche
2 gousses d'ail
3 l d'eau
Sel

1. Mettez les abattis dans une casserole avec tous les légumes épluchés, lavés et coupés en morceaux. Couvrez d'eau. Salez. Portez à ébullition et laissez cuire à petit bouillon pendant 1 heure. Écumez. Passez le bouillon à travers une étamine.

2. Désossez les abattis et pilez finement les chairs au mortier. Réservez.

3. Faites un roux avec le beurre et la crème de riz (voir Sauce veloutée, p. 34). Mouil-lez avec le bouillon de volaille. Amenez tout doucement à ébullition. Laissez cuire 10 minutes.

4. Ajoutez la purée d'abattis et faites la liaison avec la crème fraîche et les jaunes d'œufs. Rectifiez l'assaisonnement si nécessaire.

LES BOUILLIES

A base de farines diverses, les bouillies sont délayées avec de l'eau, du lait, du bouillon de légumes ou du babeurre. Elles sont quelquefois sucrées.

Bouillie à la farine de maïs 🍲

En Franche-Comté et en Bourgogne, cette bouillie est appelée « gaude ». La cuisson de la farine de maïs est assez longue : préférez-lui la farine précuite, qui est beaucoup plus rapide.

Préparation : aucune
Cuisson : 8 à 10 mn

350 g environ de farine de maïs précuite
2 l d'eau
Crème fraîche ou lait
Sel

1. Mettez la farine, l'eau et le sel dans une grande casserole.

2. Portez à ébullition tout en remuant avec une spatule. Laissez cuire 3 minutes après les premiers bouillons.

3. Retirez du feu, la bouillie est cuite. Servez avec de la crème fraîche ou du lait à part.

Brillulis 🍲

C'est une soupe corse à base de farine de châtaignes.

Préparation : aucune
Cuisson : 10 mn

400 g environ de farine de châtaignes
75 cl d'eau
50 cl de lait de chèvre (ou de vache) bouilli
Sel

1. Faites bouillir l'eau avec le sel.

2. Tamisez la farine de châtaignes. Mettez-la dans une terrine et versez l'eau chaude dessus progressivement, tout en remuant pour éviter que des grumeaux se forment.

3. Remettez sur le feu et faites cuire 5 à 6 minutes sans cesser de tourner. Retirez du feu dès les premiers bouillons. Servez dans les assiettes.

4. Chacun, selon son goût, verse sur la bouillie une rasade de lait froid que vous aurez fait bouillir auparavant.

Porridge 🍲

Préparation : aucune
Cuisson : 25 mn

2 l d'eau
500 g de farine d'avoine
Lait froid ou crème
fraîche
15 g de sel

1. Faites bouillir l'eau, ajoutez le sel. Réduisez le feu.

2. Jetez dans cette eau la farine en pluie et remuez constamment jusqu'à ce qu'elle épaississe.

3. Laissez cuire à tout petit feu pendant 20 minutes en remuant de temps à autre. Servez avec du lait ou de la crème fraîche à part.

Bouillie au seigle 🍲

Préparation : aucune
Cuisson : 10 mn

2 l de lait
4 cuillerées à soupe
de farine de blé noir
4 cuillerées à soupe
de farine de froment
Sel ou sucre

1. Faites bouillir le lait. Mettez les farines dans une terrine et, tout en remuant, délayez-les avec 2 verres de lait pour éviter la formation de grumeaux.

2. Après avoir obtenu une pâte dense et homogène, versez le restant de lait sans cesser de remuer. Remettez dans la casserole, salez (ou sucrez suivant votre goût) et mettez à feu doux. Continuez de tourner et amenez à ébullition.

3. Retirez du feu dès les premiers bouillons. La bouillie doit avoir suffisamment épaissi. Si ce n'était pas le cas, laissez cuire encore quelques minutes.

4. Servez avec un pot de lait chaud.

« A l'armée des princes, nous étions dix
par tente ; chacun à son tour était chargé du soin
de la cuisine, celui-ci allait à la viande,
celui-là à la paille. Je faisais la soupe à merveille,
j'en recevais de grands compliments, surtout quand
je mêlais à la ratatouille du lait et des choux,
à la mode de Bretagne. J'avais appris
chez les Iroquois à braver la fumée, de sorte
que je me comportais bien autour de mon feu
de branches vertes et mouillées. »

CHATEAUBRIAND, *Hors de France*

Je vis de bonne soupe et non de beau langage,
Vaugelas n'apprend point à bien faire un potage.

MOLIÈRE

Les soupes

Les soupes sont préparées à l'eau. Les légumes ne sont généralement pas écrasés, ils sont le plus souvent coupés en julienne ou en mirepoix. Les soupes sont accompagnées très souvent de pain. Dans la catégorie des soupes sont donc compris les pot-au-feu (grande marmite et petite marmite) et les potées.

Les soupes d'ici

LES SOUPES RÉGIONALES RUSTIQUES

Les provinces françaises ont donné naissance à des soupes originales. Nées de la production locale en un temps où les produits de la terre et de la mer voyageaient peu, elles ont traversé le temps, indifférentes aux modes qui passent et s'effacent, et sont arrivées jusqu'à nos jours intactes et savoureuses.

Lorsque nous nous régalons d'un aïgo boulido, d'une garbure, d'une pochouse ou d'une bréjaude, c'est une petite rencontre avec la Provence, la Bourgogne, le Sud-Ouest que nous faisons. C'est souvent le début d'une découverte que l'on a envie de poursuivre en soulevant un peu plus le couvercle des casseroles où mitonnent les trésors de la gastronomie française. Et, au moment où le fumet divin caresse les narines, il ne viendrait à personne l'idée de « cracher dans la soupe »…

Ces soupes, donc, qu'elles soient de tradition régionale, de saison, ou des inventions ménagères faites – comme cela peut arriver – avec les restes d'un repas, peuvent être préparées aujourd'hui dans n'importe quel coin de France et du monde, grâce au formidable développement des cultures maraîchères et à celui non moins formidable des moyens de transport.

Soulevons donc ces couvercles et laissons-nous séduire par les odeurs qui s'en échappent. Nous y retrouverons certainement des souvenirs qui sommeillent dans un coin de notre mémoire. Et pas seulement olfactive.

Aïgo boulido 🍲

C'est une soupe provençale. La soupe des lendemains de fête et des convalescents. « L'eau bouillie sauve la vie », affirme le dicton populaire provençal.

Préparation : 5 mn
Cuisson : 15 mn + 10 mn

2 l d'eau
1 douzaine de gousses d'ail
2 feuilles de laurier
1 branche de sauge
4 cuillerées à soupe d'huile d'olive
Tranches de pain rassis (ou 4 poignées de vermicelles « cheveux d'ange »)
Gruyère râpé (facultatif, mais c'est bien meilleur)
Sel

1. Faites bouillir l'eau avec les gousses d'ail épluchées et le sel. Laissez cuire 10 minutes. Si vous avez choisi de mettre des vermicelles, ajoutez-les et laissez-les cuire encore 5 minutes. Puis faites infuser la sauge et le laurier pendant 10 minutes.

2. Ajoutez l'huile d'olive et, si vous n'avez pas mis de vermicelles, servez l'aïgo boulido bien chaud sur les tranches de pain. Accompagnez du fromage râpé.

Soupe à l'ail 🍲

Dans l'antique Grèce, les vertus de l'ail étaient nombreuses et il était le remède de bien des maux. Ses vertus sont toujours louées de nos jours et les chercheurs reconnaissent que l'ail n'a pas encore livré tous ses secrets. Son goût fort est peu apprécié par certains, qui le digèrent mal. Pour remédier à cela, coupez la gousse en deux et retirez le germe qui s'y trouve. Par ailleurs, lorsqu'il est cuit, les problèmes de digestibilité sont moindres.

Gastronome réputé, Jean Ferniot donne une savoureuse recette de soupe à l'ail dans ses *Carnets de croûtes :* « Tout commença par les parfums : celui d'une soupe à l'ail dans laquelle elle mit un peu de chorizo et des croûtons puis de la ventrèche grillée sur les braises de la cheminée et servie avec les gros œufs jaunes de la ferme, au plat… »

Celle que nous vous proposons est simplifiée. Mais rien ne vous empêche d'y ajouter du chorizo et/ou de la ventrèche.

Soupe à l'ail *(suite)*

Préparation : 20 mn
Cuisson : 25 mn

24 gousses d'ail
2 cuillerées à soupe
d'huile d'olive
2 l d'eau
Croûtons grillés
Sel

Pour la sauce
mayonnaise :

2 jaunes d'œufs
25 cl d'huile de tournesol
1 cuillerée à café
de moutarde
Sel

1. Épluchez les gousses d'ail. Coupez-les en deux et retirez le germe.

2. Mettez-les dans une casserole avec l'eau et le sel. Portez à ébullition et laissez cuire pendant 20 minutes.

3. Écrasez finement les gousses d'ail, laissez-les dans le bouillon.

4. Faites une mayonnaise serrée avec les jaunes d'œufs, la moutarde et l'huile de tournesol (voir p. 33). Salez. Mettez la mayonnaise dans la soupière.

5. Versez le bouillon brûlant sur la mayonnaise en remuant avec un fouet. Rectifiez l'assaisonnement, ajoutez l'huile d'olive et servez aussitôt accompagné de croûtons grillés.

Soupe à l'ail à la provençale 🍲

Préparation : 5 mn
Cuisson : 35 mn

24 gousses d'ail
2 l d'eau
1 branche de thym
1 oignon piqué de 2 clous
de girofle
1 douzaine de tranches
de pain
1 rasade d'huile d'olive
Fromage râpé
Sel

1. Épluchez les gousses d'ail et coupez-les en deux pour en retirer le germe.

2. Mettez l'ail, le thym, l'oignon épluché dans une casserole. Couvrez d'eau. Salez, portez à ébullition et laissez cuire pendant 20 minutes.

3. Saupoudrez les tranches de pain de fromage râpé et mettez-les au four 15 minutes. Retirez-les avant que le fromage ne soit totalement fondu. Mettez les tranches de pain dans la soupière.

4. Retirez la branche de thym et l'oignon.

5. Écrasez l'ail. Ajoutez l'huile et versez la soupe sur les tranches de pain grillées.

Soupe de betteraves 🍲

Préparation : 15 mn
  + 10 mn
Cuisson : 2 h 15 + 25 mn

*1 grosse betterave cuite
  de 400 g environ
1 oignon
50 g de beurre
1 cuillerée à café
  de sucre
20 cl de crème fraîche
2 l de consommé de
  volaille (p. 47)
1 cuillerée à soupe
  de pluches de cerfeuil
Sel*

1. Émincez l'oignon et faites-le fondre dans le beurre. Salez. Mouillez avec le consommé de volaille. Portez à ébullition.

2. Épluchez la betterave et coupez-la en petits dés. Ajoutez-la au consommé, mettez le sucre et laissez cuire le tout 20 minutes.

3. Retirez du feu, ajoutez la crème fraîche. Parsemez avec les pluches de cerfeuil.

Soupe aux bettes 🍲

Préparation : 10 mn
Cuisson : 30 mn

*1 botte de bettes
  (ou blettes)
3 poignées de macaronis
50 g de parmesan
50 g de beurre
2,5 l d'eau
Sel*

1. Nettoyez et lavez les bettes, ôtez les fils des côtes. Retirez les côtes des bettes (que vous pourrez utiliser en gratin ou avec un bon rôti de veau) après les avoir fait cuire à l'eau bouillante salée pendant 15 minutes. Égouttez le vert et hachez-le. Gardez l'eau.

2. Plongez les macaronis dans de l'eau bouillante salée et faites les cuire *al dente* pendant 15 minutes environ. Vérifiez la cuisson.

3. Égouttez les macaronis. Hachez-les grossièrement, ajoutez le vert des bettes et mouillez avec 2 l de l'eau de cuisson des bettes. Mettez sur le feu et amenez tout doucement à ébullition.

4. Retirez du feu, ajoutez le beurre, mélangez bien et servez la soupe saupoudrée de parmesan râpé.

Soupe à la bière 🍲

Préparation : 3 mn
Cuisson : 10 mn environ

1,75 l de bière blonde
25 cl de vin blanc
* d'Alsace*
100 g de beurre
50 g de farine
1 soupçon de cannelle
* en poudre*
4 jaunes d'œufs
Noix muscade
10 tranches de pain
* grillées*
Sel

1. Faites un roux avec 50 g de beurre et la farine (voir Sauce veloutée, p. 34). Mouil-lez avec la bière et amenez à ébullition sans cesser de tourner. Retirez du feu.

2. Mettez les jaunes d'œufs dans une terrine et délayez-les avec 4 cuillerées à soupe du roux à la bière. Remettez dans la casserole. Salez et portez à ébullition sans cesser de tourner.

3. Retirez du feu dès le premier bouillon. Râpez une pointe de muscade. Ajoutez la cannelle, le vin blanc chaud et flambé. Mélangez intimement et ajoutez les 50 g de beurre restants.

4. Servez les tranches de pain grillées à part.

Billaumoise 🍲

C'est encore une variante de la soupe à l'ail que l'on fait dans la région de la Loire.

Préparation : 10 mn
Cuisson : 40 mn

20 gousses d'ail
100 g de cantal râpé
1/2 verre de vin blanc
* de la Loire*
1 cuillerée à soupe
* de farine*
3 cuillerées à soupe
* d'huile de noix*
50 g de beurre
2 jaunes d'œufs
1 branche de thym
1 feuille de laurier
2 l d'eau
1 dizaine de tranches
* de pain*
Sel

1. N'épluchez pas l'ail. Mettez-le dans un mortier, écrasez-le au pilon et mettez-le dans une casserole avec le thym et le laurier. Couvrez avec l'eau et salez. Laissez cuire 30 minutes.

2. Saupoudrez les tranches de pain de cantal, et faites fondre le fromage au four pendant 15 minutes environ.

3. Mettez les croûtons au fromage dans la soupière et arrosez d'huile de noix.

4. Dans une terrine, travaillez le beurre en pommade avec la farine et les jaunes d'œufs. Délayez avec le vin blanc.

5. Passez le bouillon au chinois et versez-le sur le beurre tout en remuant.

6. Remettez le tout dans la casserole et amenez tout doucement à ébullition sans cesser de tourner.

7. Retirez dès l'apparition du premier bouillon. Versez sur le pain dans la soupière.

Bougras 🍲

C'est une soupe périgourdine dont l'élément de mouillement est l'eau dans laquelle ont été pochés les boudins. Elle se fait surtout en hiver, pendant la période où sont tués les porcs.

Préparation : 15 mn
Cuisson : 60 mn

3 l d'eau de boudin
Le cœur de 1 chou vert
3 navets
3 carottes
3 poireaux
1 oignon
1 branche de céleri
400 g de pommes de terre
Graisse d'oie
Tranches de pain rassis
1 cuillerée à soupe
  de farine
Sel

1. Épluchez et lavez les légumes. Détaillez le chou en julienne, les navets, carottes, poireaux, oignon, céleri de pommes de terre en morceaux plus gros. Mettez tous les légumes, à l'exception des pommes de terre, dans une grande marmite. Couvrez avec l'eau de boudin et laissez cuire à petite ébullition pendant 40 minutes.

2. Retirez les légumes de l'eau de cuisson, égouttez-les.

3. Faites fondre la graisse d'oie et ajoutez-y les pommes de terre coupées en rondelles et les autres légumes égouttés. Faites rissoler. Saupoudrez de farine et mouillez avec 1 louche de bouillon.

4. Remettez le tout dans la marmite et laissez cuire tranquillement pendant 10 minutes.

5. Rectifiez l'assaisonnement et versez le bougras sur les tranches de pain rassis.

Bouillabaisse borgne 🍲

C'est l'*aïgo sau d'iou* provençal. Cette bouillabaisse se fait sans poisson ni fumet, seulement avec des pommes de terre et des œufs.

Préparation : 15 mn
Cuisson : 45 mn

6 pommes de terre
2 gousses d'ail
6 œufs
10 cl d'huile d'olive
1 oignon
1 blanc de poireau
2 tomates

1. Émincez finement l'oignon et le blanc de poireau et faites-les revenir dans l'huile. Ajoutez l'ail écrasé. Mouillez avec le vin puis avec l'eau.

2. Ajoutez la pulpe de tomate, le bouquet garni et le safran. Salez, poivrez et amenez à ébullition. Lorsque celle-ci est atteinte, laissez cuire à gros bouillons pendant 20 minutes.

Bouillabaisse borgne *(suite)*

1 bouquet garni
25 cl de vin blanc sec
1,75 l d'eau
Tranches de pain rassis
2 cuillerées à soupe
* de persil haché*
Safran
Sel, poivre

3. Retirez alors le bouquet garni et passez le bouillon au chinois. Remettez le bouillon sur le feu.

4. Dans ce même bouillon, mettez les pommes de terre épluchées, lavées et coupées en rondelles de 5 mm d'épaisseur au moins. Laissez cuire 20 minutes environ après la reprise de l'ébullition.

5. Cassez les œufs dans une assiette et faites-les glisser délicatement un à un dans le bouillon. Pochez-les pendant 3 minutes.

6. Retirez avec une écumoire les œufs, puis les pommes de terre. Disposez-les sur un plat de service et saupoudrez de persil haché. Versez le bouillon dans la soupière sur les tranches de pain rassis.

Bréjaude ☙

C'est une soupe auvergnate et la tradition voulait qu'autrefois la couenne du lard soit servie au seul maître de maison.

Préparation : 20 mn
Cuisson : 2 h 10

250 g de lard frais
4 pommes de terre
4 poireaux
4 navets
2 carottes
1 petit chou frisé
Quelques tranches
* de pain bis*
2,5 l d'eau
Sel

1. Épluchez tous les légumes, lavez-les et coupez-les en morceaux.

2. Mettez le lard et l'eau dans la marmite, portez à ébullition et laissez cuire 1 heure.

3. Égouttez le lard et écrasez la chair après avoir retiré la couenne. Remettez dans la marmite.

4. Ajoutez tous les légumes, à l'exception des pommes de terre. Salez et laissez cuire 30 minutes.

5. Ajoutez les pommes de terre et laissez cuire encore à petits bouillons pendant 40 minutes. Salez.

6. Mettez le pain bis dans les assiettes et servez le bouillon et les légumes sur les tranches de pain.

Soupe au vieux brucciu 🍲

Le brucciu est un fromage corse fait avec du petit-lait de brebis ou de chèvre. Il se mange frais de l'automne au printemps. En vieillissant, il sèche et son goût rappelle un peu celui du parmesan, mais en moins aigre.

Trempage : 1 h
Préparation : 5 mn
Cuisson : 25 mn

200 g de brucciu sec
2 cuillerées à soupe bien
  pleines de saindoux
1 oignon
125 g de vermicelles
1 gousse d'ail
1 cuillerée à café
  de concentré de tomate
2 l d'eau
Sel

1. Faites tremper le brucciu dans de l'eau froide pendant 1 heure.

2. Émincez l'oignon et faites-le revenir à feu doux dans le saindoux. Ajoutez le concentré de tomate, puis l'eau. Salez.

3. Portez à ébullition. Laissez cuire 10 minutes, puis jetez dans le bouillon les vermicelles et le brucciu coupé en morceaux. Remuez jusqu'à la reprise de l'ébullition. Réduisez le feu et laissez cuire 10 minutes.

4. Au moment de servir, ajoutez la gousse d'ail écrasée et débarrassée de son germe.

Soupe aux brocolis 🍲

Préparation : 10 mn
Cuisson : 35 mn

500 g de brocolis
350 g de pommes de terre
2 l de consommé
1 cuillerée à soupe
  de persil haché
1 poignée de vermicelles
50 g de beurre
Sel

1. Épluchez les pommes de terre, lavez-les ainsi que les brocolis.

2. Coupez grossièrement les pommes de terre et faites-les cuire pendant 30 minutes dans de l'eau salée avec les brocolis.

3. Écrasez grossièrement les légumes sur l'écumoire avec une fourchette ou avec le presse-purée. Mettez-les dans une casserole avec le consommé.

4. Refaites partir l'ébullition, ajoutez les vermicelles. Laissez cuire à petits bouillons 3 ou 4 minutes.

5. Ajoutez le beurre et le persil haché au moment de servir.

Soupe à la bourrache 🍲

Préparation : 20 mn
Cuisson : 40 mn

*4 grosses poignées
de bourrache (feuilles
et tiges)
4 pommes de terre
2 feuilles de fenouil
50 g de beurre
2 l d'eau
Sel*

1. Triez et lavez la bourrache.

2. Épluchez, lavez et coupez les pommes de terre en morceaux.

3. Mettez les légumes dans une grande casserole, couvrez avec l'eau et salez. Portez à ébullition. Quand celle-ci est atteinte, réduisez le feu et laissez cuire à petits bouillons pendant 40 minutes.

4. Lavez les feuilles de fenouil et hachez-les finement. Réservez.

5. Passez les légumes de la soupe au moulin à légumes. Ajoutez le morceau de beurre. Remuez bien. Versez dans la soupière et ajoutez le fenouil haché.

Soupe aux cardons 🍲

Dégorgement : 1 h
Préparation : 10 mn
Cuisson : 1 h 20

Pour le court-bouillon :
*1 carotte
1 branche de céleri
1 oignon
Sel
500 g de cardons
1 citron
1 dizaine de croûtons
coupés en dés
dans une baguette et
frits dans du beurre
200 g de moelle épinière
de veau (appelée aussi
« amourette »)
2 l de bouillon*

1. Nettoyez la moelle et faites-la dégorger dans de l'eau froide pendant 1 heure.

2. Pendant ce temps, nettoyez soigneusement les côtes des cardons. Retirez les fils et coupez les côtes en lamelles. Frottez-les avec le citron pour qu'elles ne noircissent pas. Faites-les cuire dans de l'eau bouillante salée pendant 20 minutes. Égouttez-les. Laissez en attente.

3. Préparez le court-bouillon : épluchez les légumes, mettez-les dans une casserole, couvrez d'eau, salez et faites cuire 45 minutes. Faites cuire la moelle au court-bouillon pendant 10 minutes. Égouttez-la et coupez-la en dés.

4. Faites chauffer le bouillon. Ajoutez les cardons et les dés de moelle. Salez. Laissez cuire 4 à 5 minutes et, au moment de servir, ajoutez les dés de pain frits.

Soupe de cerises 🍲

Préparation : 15 mn
Cuisson : 15 mn

1 kg de cerises noires
50 g de beurre
1 cuillerée à soupe
  de farine
1 douzaine de tranches
  de pain coupées
  dans une baguette
1 pincée de cannelle
1,75 l d'eau
25 cl de vin rouge
Sel

1. Dénoyautez les cerises. Mettez-les dans une terrine avec leur jus.

2. Faites frire les tranches de pain dans le beurre, saupoudrez de farine, mouillez avec l'eau et portez à ébullition. Salez légèrement, ajoutez la cannelle puis le vin rouge. Donnez un bouillon et servez aussitôt.

Soupe à la cervelle 🍲

Dégorgement : 1 h
Préparation : 15 mn
  + 25 mn
Cuisson : 2 h 15 + 25 mn

1 cervelle de veau
3 jaunes d'œufs
1 oignon
50 g de beurre
2 l de consommé
  de volaille (p. 47)
10 petites quenelles de
  volaille (p. 25)
10 croûtons de pain frits
  et coupés en dés
Vinaigre
Sel

1. Mettez la cervelle à dégorger dans de l'eau froide pendant 1 heure. Pendant ce temps, préparez les quenelles.

2. Faites cuire tout doucement la cervelle dans de l'eau frémissante salée et légèrement vinaigrée pendant 10 à 15 minutes. Égouttez-la et pilez-la dans un mortier.

3. Épluchez, émincez l'oignon et faites-le étuver dans le beurre. Mouillez avec le consommé. Portez à ébullition et laissez cuire 10 minutes.

4. Battez les jaunes d'œufs dans une terrine. Versez le consommé dessus en le passant à travers une étamine. Fouettez.

5. Ajoutez la cervelle, remettez sur le feu et chauffez sans laisser bouillir.

6. Servez après avoir ajouté les quenelles et les dés de pain frits.

Soupe aux choux et aux miques ●●

Les miques sont des boulettes confectionnées avec de la farine de maïs et de la farine de froment. Elles se mangent en guise de pain et accompagnent aussi très souvent le petit salé, le civet de lièvre, la soupe aux haricots blancs. Cette soupe est originaire du Périgord.

Préparation : 35 mn
Cuisson : 2 h 10

1 kg de palette
250 g de lard
1 gros oignon piqué
  de 2 clous de girofle
250 g de carottes
250 g de navets
1 branche de céleri
1,500 kg de chou blanc
1 bouquet garni
3 l d'eau
Graisse d'oie
Sel

Pour les miques :
250 g de farine
  de maïs
250 g de farine
  de froment
1 bonne cuillerée à soupe
  de graisse d'oie
  (ou de porc)
1 verre d'eau tiède
Sel, poivre

1. Lavez la palette et faites-la cuire dans l'eau avec le lard pendant 1 heure.

2. Écumez, ajoutez le chou coupé en gros quartiers et débarrassé des plus grosses côtes, ajoutez le bouquet garni. Faites cuire pendant 30 minutes, puis ajoutez l'oignon et tous les autres légumes épluchés et coupés en morceaux. Salez et laissez cuire encore 40 minutes.

3. Pendant ce temps, préparez les miques : mettez dans une terrine les deux farines, le sel, le poivre, l'eau et la graisse d'oie. Mélangez intimement le tout de façon à obtenir une pâte homogène. Roulez dans les mains des boulettes de 75 g environ.

4. Pochez les miques dans de l'eau bouillante salée pendant 30 minutes. Retournez-les deux ou trois fois pour qu'elles cuisent régulièrement. Puis, la cuisson étant terminée, retirez avec l'écumoire et égouttez-les sur un linge. Si la soupe comporte suffisamment de bouillon, vous pouvez pocher les miques dedans, elles n'en seront que plus savoureuses.

5. Avant la fin de la cuisson de la soupe, retirez les légumes. Égouttez-les et faites-les revenir dans la graisse d'oie.

6. Mouillez avec un peu de bouillon et remettez dans la marmite. Terminez la cuisson. Retirez le bouquet garni.

7. Présentez la soupe dans la soupière et dressez sur un plat la palette coupée en morceaux. Servez les miques à part.

Soupe aux choux et à la saucisse ☜

Préparation : 15 mn
Cuisson : 1 h 05

1 petit chou blanc
1 saucisse de Morteau
20 cl de crème aigre
250 g de pommes de terre
2 l de bouillon
Sel

1. Lavez le chou et taillez-le en julienne. Plongez-le dans de l'eau bouillante pendant 5 minutes.

2. Égouttez-le et jetez l'eau.

3. Remettez-le dans la casserole avec le bouillon et la saucisse. Salez et laissez cuire 30 minutes.

4. Ajoutez les pommes de terre coupées en morceaux et faites une petite cuisson tranquille pendant 30 minutes.

5. Découpez la saucisse en rondelles. Versez le tout dans la soupière. Servez la crème aigre à part.

Soupe corse ☜

Trempage : 6 à 12 h
Préparation : 20 mn
Cuisson : 1 h 20

250 g de haricots rouges
secs
4 pommes de terre
1 petit chou vert (ou 5
ou 6 belles feuilles)
400 g de vert de bettes
1 oignon
1 gousse d'ail
1 cuillerée à soupe de
concentré de tomate
1 os de jambon
1 tranche de poitrine
de porc fumée de 200 g
environ
4 cuillerées à soupe
de saindoux
3 poignées de macaronis
(ou d'autres grosses
pâtes)
3 l d'eau
Sel

1. La veille, ou au moins 4 à 6 heures avant la préparation de la soupe, mettez les haricots à tremper dans de l'eau froide.

2. Lavez et coupez en morceaux tous les légumes, à l'exception de 1 pomme de terre, que vous garderez entière.

3. Égouttez les haricots.

4. Faites fondre le saindoux et faites-y revenir les légumes ainsi que la poitrine de porc coupée en minuscules dés (on ne doit pas les retrouver dans la soupe). Ajoutez le concentré de tomate. Couvrez d'eau. Salez et faites partir la cuisson. Dès l'ébullition, réduisez le feu et laissez cuire à petits bouillons pendant 1 heure.

5. A mi-cuisson, ajoutez l'os de jambon.

6. A la fin de la cuisson, écrasez à la fourchette la pomme de terre gardée entière, puis ajoutez les macaronis et laissez cuire encore 15 minutes.

7. Servez brûlant. Cette soupe est l'une de ces soupes épaisses où la cuillère plantée dedans doit tenir debout.

Soupe de courgettes ☙

Préparation : 20 mn
Cuisson : 45 mn

*500 g de courgettes bien
  fermes
350 g de pommes de terre
250 g de champignons
  de Paris
1 tomate
1 oignon
1/2 citron
4 ou 5 queues de persil
50 g de beurre
1 cuillerée à soupe
  de persil haché
2 l d'eau
Crème aigre
Sel*

1. Retirez le pied terreux des champignons. Lavez les têtes dans de l'eau citronnée et coupez-les en lamelles.

2. Épluchez les courgettes et les pommes de terre. Lavez-les et taillez-les en julienne. Faites-les revenir dans le beurre fondu.

3. Mouillez avec l'eau. Salez et ajoutez les lamelles de champignons, la tomate épluchée, épépinée et écrasée, l'oignon épluché et émincé, et les queues de persil. Laissez cuire 40 minutes.

4. Versez dans la soupière, saupoudrez de persil haché et servez la crème aigre à part.

Soupe d'épeautre ☙

Cette soupe se fait beaucoup en Provence.

Préparation : 15 mn
Cuisson : 3 h

*1 kg d'épaule de mouton
1 oignon piqué de 3 clous
  de girofle
2 carottes
1 navet
2 gousses d'ail
1 branche de céleri
1 poireau
200 g d'épeautre (sorte
  de froment aux grains
  petits et bruns)
3 l d'eau
Sel*

1. Mettez la viande entière dans l'eau froide. Portez à ébullition. Écumez.

2. Épluchez et lavez tous les légumes. Coupez-les en morceaux. Salez et ajoutez les grains d'épeautre. Remuez jusqu'à la reprise de l'ébullition, puis laissez cuire pendant 3 heures à tout petits bouillons.

3. Servez avec la viande coupée en morceaux.

Soupe aux farcidures ●●●

Cette soupe est d'origine auvergnate.

Trempage : 12 h
Préparation : 1 h 15
Cuisson : 2 h 30

1 palette de porc
1 tranche de lard
  de 200 g environ
150 g environ de poitrine
  de porc fumée
2 carottes
2 navets
1 chou frisé
2 oignons
2 gousses d'ail
1 bouquet garni
300 g environ de vert de
  légumes cuits (épinards,
  bettes, laitues, dont
  le poids variera en
  fonction de la grosseur
  et de la quantité des
  feuilles à farcir)
250 g de farine de blé
  noir
1 œuf
3,5 l d'eau
Tranches de pain rassis
Sel, poivre

1. La veille, faites dessaler la palette dans de l'eau froide.

2. Le lendemain, rincez-la et égouttez-la.

3. Nettoyez le chou et gardez les plus grosses feuilles vertes. Coupez le reste en larges quartiers. Épluchez tous les légumes (réservez 1 oignon et 1 gousse d'ail), lavez-les et coupez-les en morceaux.

4. Mettez la palette et la poitrine de porc dans une grande marmite. Couvrez d'eau. Portez à ébullition. Écumez, salez et ajoutez les légumes et le bouquet garni. Réduisez le feu et commencez la cuisson. Il faut compter 2 h 30 environ.

5. Plongez les feuilles de chou 1 minute environ dans de l'eau bouillante salée, le temps nécessaire pour les assouplir. Égouttez-les sur un torchon, réservez-les.

6. Blanchissez le vert des légumes pendant 5 minutes. Égouttez-le et hachez-le ainsi que le lard, l'ail, l'oignon réservés par ailleurs.

7. Mettez dans une terrine. Ajoutez la farine de blé noir, l'œuf battu. Salez, poivrez. Mélangez intimement et ajoutez, si c'était nécessaire, quelques cuillerées à soupe de bouillon pour mieux travailler la farce.

8. Versez un peu de cette farce sur les feuilles de chou réservées. Roulez les feuilles, ficelez-les soigneusement de façon à emprisonner parfaitement la farce. Mettez-les à cuire dans le bouillon 1 heure avant la fin de la cuisson de la soupe.

9. Retirez le bouquet garni. Disposez les farcidures de viande et les légumes sur un plat, et servez le bouillon sur des tranches de pain rassis.

Soupe de fèves à la semoule 🍲

Préparation : 15 mn
Cuisson : 30 mn

1 kg de fèves fraîches
1 carotte
1 navet
1 branche de céleri
50 g de semoule grain
  moyen
50 g de beurre
2 l d'eau
Sel

1. Écossez les fèves et retirez la seconde peau. Mettez-les dans une casserole avec les autres légumes, épluchés, lavés et coupés en morceaux.

2. Couvrez d'eau, salez et laissez cuire pendant 30 minutes.

3. Passez les légumes au tamis. Remettez dans la casserole, jetez la semoule en pluie et amenez jusqu'à ébullition en remuant constamment avec une spatule.

4. Retirez du feu au premier bouillon. Ajoutez le beurre et servez aussitôt.

Soupe de fèves à la tomate et aux haricots verts 🍲

Préparation : 10 mn
Cuisson : 30 mn

1 kg de fèves
1 tomate
350 g de haricots verts
2 l d'eau
50 g de beurre
1 jaune d'œuf
Sel

1. Écossez les fèves. Retirez la seconde peau. Effilez les haricots et coupez-les en julienne.

2. Faites fondre le beurre dans une casserole et faites-y revenir tout doucement les fèves et les haricots. Ajoutez la tomate épluchée et épépinée. Ne laissez pas colorer. Mouillez, salez. Laissez cuire pendant 30 minutes.

3. Ajoutez le jaune d'œuf battu au moment de servir.

Soupe de fleurs de courge 🍲

Préparation : 15 mn
Cuisson : 20 mn

20 fleurs de courge
350 g de courgettes
150 g de riz
1 oignon
1 tomate
1 gousse d'ail
5 belles et larges feuilles
  de basilic
1 bouquet garni
Huile de tournesol
2 l d'eau
1 cuillerée à soupe
  d'huile d'olive
Sel, poivre

1. Lavez le riz, égouttez-le. Épluchez les courgettes, coupez-les en dés.

2. Faites revenir dans l'huile l'oignon épluché et émincé, l'ail épluché, les courgettes et la tomate. Couvrez d'eau, salez, poivrez et ajoutez le riz et le bouquet garni. Faites cuire à petits bouillons pendant 20 minutes.

3. Retirez les tiges et le pistil des fleurs de courge. Lavez-les et coupez-les en lamelles de 1 cm de large.

4. Passez la soupe au moulin à légumes. Remettez sur le feu, ajoutez les lamelles de fleurs de courge et laissez cuire 1 minute à feu doux.

5. Au moment de servir, ajoutez la cuillerée d'huile d'olive avec les feuilles de basilic finement hachées.

Fricassée périgourdine 🍲

La recette de la fricassée périgourdine consiste à retirer des légumes de la soupe (navets, pommes de terre, carottes, poireaux), à les égoutter et à les faire rissoler dans de la graisse d'oie. On les saupoudre ensuite de farine, on les mouille avec un peu de bouillon, on remet le tout dans la marmite et on laisse la cuisson se faire tout doucement le temps qu'il faut.

Garbure ⬤

Légumes et confit d'oie composent cette soupe béarnaise. Mais, d'une façon plus générale, la garbure, dans le Béarn, est une soupe servie avec des croûtons mijotés dans la graisse d'oie. Les légumes que l'on met dans la garbure varient avec les saisons. De même, à l'époque de la salaison, on ajoute du jambon, du saucisson ou du cou de porc.
Dans le Béarn, on préfère les pots de terre pour confectionner les soupes. Si vous n'en avez pas, utilisez votre récipient habituel.

Préparation : 15 mn
Cuisson : 1 h 30

200 g de haricots verts
1 petit chou frisé
200 g de fèves écossées
200 g de petits pois
* écossés*
500 g de pommes de terre
1 piment rouge
2 gousses d'ail
1 bouquet garni composé
* de thym et de persil*
500 g de confit (oie, porc
* ou canard)*
1 bonne cuillerée à soupe
* de graisse d'oie (en cas*
* de confit de porc)*
2,5 l d'eau
Tranches de pain rassis
Vin rouge
Sel

1. Épluchez tous les légumes. Coupez en petits morceaux les pommes de terre, et en fine julienne le chou.

2. Mettez l'eau à bouillir. Ajoutez le sel et plongez les pommes de terre, les fèves, les petits pois, les haricots, l'ail, le bouquet garni et le piment rouge. Laissez cuire à gros bouillon pendant 45 minutes.

3. Ajoutez le chou lorsque tous les autres légumes sont cuits et continuez la cuisson pendant encore 30 minutes au moins.

4. Une demi-heure avant de servir la garbure, ajoutez le confit. Si c'est un confit de porc que vous avez choisi, ajoutez 1 bonne cuillerée de graisse d'oie afin que la viande soit plus moelleuse et le potage plus fin.

5. Terminez la cuisson. Coupez la viande et servez-la à part. Servez la garbure sur des tranches de pain rassis.

6. Lorsqu'il ne reste qu'un peu de bouillon dans l'assiette, on fait « la goudale » (autrement dit, « chabrot ») en versant une bonne rasade de vin rouge dans le bouillon.

Soupe au gras-double 🍲

Préparation : 15 mn
Cuisson : 1 h 30

500 g de gras-double
1 cuillerée à soupe
de farine
3 carottes
2 oignons
1 branche de céleri
1 poireau
Huile de tournesol
Tranches de pain grillées
2,5 l d'eau
Sel

1. Épluchez les légumes et taillez-les en julienne.

2. Faites chauffer légèrement l'huile et faites-y frire le gras-double coupé en dés.

3. Saupoudrez de farine et mouillez d'eau. Salez et faites partir l'ébullition. Ajoutez les légumes, réduisez le feu et laissez cuire 1 h 30.

4. Servez la soupe sur des tranches de pain grillées.

Gratinée 🍲

Préparation : 20 mn
   + 15 mn
Cuisson : 4 h + 25 mn

600 g d'oignons
50 g de beurre
1 cuillerée à soupe
de farine
75 g de gruyère râpé
2 l de consommé blanc
(p. 45) ou 2 l d'eau
dans laquelle vous
délayerez 2 cubes
d'extrait de bouillon
de viande
Tranches de pain grillées
Sel, poivre

1. Épluchez les oignons. Émincez-les finement et faites-les revenir dans le beurre en les laissant colorer, mais non brûler. Saupoudrez de farine et laissez légèrement roussir.

2. Mouillez avec le consommé (ou l'eau). Salez, poivrez, portez à ébullition et laissez cuire à petits bouillons 15 minutes.

3. Choisissez une soupière pouvant aller au four. Disposez au fond les tranches de pain. Versez la soupe dessus. Parsemez régulièrement de fromage râpé et faites gratiner au four chaud sous le gril pendant quelques minutes.

Gratinée au roquefort 🍲

Préparation : 20 mn
+ 15 mn
Cuisson : 4 h + 25 mn

250 g d'oignons
50 g de beurre
1 cuillerée à soupe
de farine
1 pointe de noix muscade
râpée
100 g de roquefort
8 larges tranches de pain
rassis
75 g de gruyère
1 petit verre à liqueur
de cognac
2 l de consommé blanc
(p. 45) ou d'eau dans
laquelle vous délayez
2 plaquettes d'extrait
de bouillon de viande
Sel, poivre

1. La préparation est la même que celle de la gratinée simple (voir p. 124), mais vous tartinerez tout simplement les tranches de pain avec le roquefort avant de les disposer dans la soupière.

2. Passez le bouillon au chinois, ajoutez le cognac, la pointe de muscade et versez le bouillon sur les tranches de pain.

3. Parsemez de gruyère râpé et faites gratiner.

Soupe aux haricots blancs et au lard 🍲

Préparation : 15 mn
Cuisson : 45 mn

500 g de haricots blancs
200 g de pommes de terre
1 os de jambon
1 bouquet garni
1 gousse d'ail
1 oignon
1 tranche de lard
de 200 g environ
Huile
2 l d'eau
1 cuillerée à soupe
de persil haché
Sel

1. Écossez les haricots. Épluchez et lavez les pommes de terre. Épluchez puis hachez l'oignon et l'ail.

2. Coupez le lard en petits dés et faites-le revenir dans l'huile. Ajoutez l'oignon et l'ail, puis les haricots blancs et les pommes de terre coupées en petits morceaux.

3. Couvrez d'eau. Salez, faites partir l'ébullition, ajoutez l'os de jambon et laissez bouillotter pendant 40 minutes.

4. Retirez le bouquet garni en fin de cuisson.

5. Au moment de servir, parsemez la soupe de persil haché.

Soupe aux haricots rouges 🍲

Trempage : 12 h
Préparation : 30 mn
Cuisson : 2 h 35

500 g de haricots rouges
1 cuillerée à soupe
  de concentré de tomate
100 g de pâtes
1 bouquet garni
1 verre de madère
1 oignon
1 couenne de jambon
  fumé
2,5 l d'eau
Huile
Fromage râpé
Sel

1. La veille, mettez les haricots à tremper dans de l'eau froide.

2. Le lendemain, épluchez et émincez l'oignon, puis faites-le revenir dans l'huile. Mouillez avec l'eau.

3. Ajoutez les haricots, le concentré de tomate, la couenne de jambon, le bouquet garni, le sel. Laissez cuire 2 h 30 environ. Quinze minutes avant la fin de la cuisson, ajoutez les pâtes.

4. Ajoutez le madère et servez accompagné de fromage râpé.

Soupe à la jambe de bois 🍲

C'était autrefois une soupe claire qui comportait un morceau de jarret de bœuf. Après la cuisson, la viande détachée de l'os laissait apparaître le manchon, d'où son nom. Aujourd'hui, l'expression désigne une soupe grossière.

Parmi les recettes anciennes de soupe à la jambe de bois, celle de Grimod de La Reynière nous a semblé succulente ; nous vous la livrons telle qu'elle a été publiée dans un almanach de l'époque.

« On prend un jarret de bœuf dont on coupe les deux bouts en laissant le gros os d'un pied de longueur, on l'empote dans une marmite avec du bon bouillon, un morceau de tranche de bœuf, et une casserole d'eau froide. Lorsque cette marmite est écumée, on l'assaisonne avec du sel et des clous de girofle, on y met deux ou trois douzaines de pieds de céleri, douze navets, une poule et deux vieilles perdrix. Prenez ensuite un morceau de rouelle de veau d'environ deux livres ; faites-le bien suer dans une casserole et mouillez-le avec votre bouillon ; lorsqu'il sera bien dégraissé, vous y ajouterez une douzaine de petits oignons, quelques pieds de céleri, vous mettrez le tout dans votre marmite environ une heure avant de servir.

« Le bouillon étant ainsi fait, vous vous assurerez de son bon goût, vous prenez du pain à potage bien chapelé, vous enlevez les croûtes et les mettez dans une casserole ; vous les mouillez avec votre bouillon bien dégraissé, et le faites bien mitonner ; arrivées à leur point, vous les dressez dans leur pot à oille et vous les garnissez de toutes les sortes de légumes qui sont dans votre empotage, vous mettez ensuite l'os de jarret sur votre potage, vous achevez de le mouiller et vous le servez très chaudement. »

Préparation : 30 mn
Cuisson : 2 h 30

Soupe au lait 🍲

Préparation : 5 mn
Cuisson : 5 mn

2 l de lait (de chèvre,
si possible)
5 poignées de vermicelles
« cheveux d'ange »
75 g de beurre
Sel

1. Faites bouillir le lait.

2. Réduisez le feu et jetez les cheveux d'ange en pluie. Commencez à tourner avec une spatule et cela jusqu'à la fin de la cuisson, de façon à ce que le lait ne se sauve pas. Comptez 5 minutes.

3. Salez, retirez du feu et ajoutez le beurre.

Soupe aux légumes secs 🍲

Trempage : 5 à 6 h
Préparation : 30 mn
Cuisson : 1 h 45

150 g de lentilles
150 g de haricots blancs
150 g de pois cassés
2 carottes
1 navet
1 poireau
1 oignon
1 bouquet garni
1 tranche de lard maigre
de 200 g
2,5 l d'eau
Croûtons grillés
Sel, poivre

1. Faites tremper les haricots pendant 5 à 6 heures dans de l'eau froide. Triez les lentilles et les pois cassés. Égouttez les haricots et mettez les légumes secs dans une marmite.

2. Épluchez les carottes, le navet, le poireau, l'oignon, lavez-les, puis coupez-les en morceaux avant de les ajouter aux légumes secs.

3. Couvrez avec l'eau, ajoutez le bouquet garni et le lard. Salez, poivrez. Portez à ébullition, écumez. Réduisez le feu et laissez bouillotter pendant 1 h 30.

4. Retirez le bouquet garni et le lard. Passez au tamis et servez sur des croûtons grillés.

Soupe aux lentilles 🍲

Préparation : 5 mn
Cuisson : 1 h 30

500 g de lentilles vertes
du Puy
2 pommes de terre
1 tranche de poitrine
de porc fumée
de 200 g environ
1 oignon piqué
de 1 clou de girofle
1 gousse d'ail
1 bouquet garni
3 cuillerées à soupe
de crème fraîche
2,25 l d'eau
Sel

1. Triez les lentilles. Mettez-les dans une casserole avec l'eau, la tranche de porc, le bouquet garni, l'ail et l'oignon épluchés. Salez. Faites partir l'ébullition. Réduisez le feu et laissez cuire à petits bouillons.

2. Au bout de 30 minutes, ajoutez les pommes de terre épluchées et coupées en rondelles. Continuez la cuisson pendant 1 heure.

3. Lorsque la cuisson est terminée, retirez le bouquet garni et la poitrine de porc. Ajoutez la crème fraîche battue et servez la soupe sans la passer.

Soupe de maïs 🍲

Préparation : 10 mn
Cuisson : 20 mn

4 épis de maïs
1 carotte
1 branche de céleri
250 g de pommes de terre
1 tomate
6 queues de persil
1 verre de lait chaud
2 cuillerées à soupe
de crème fraîche
2 l d'eau
Paprika en poudre
Sel

1. Plongez les épis de maïs dans de l'eau bouillante salée pendant 10 minutes. Égouttez-les et égrenez-les. Réservez 4 cuillerées à soupe de ces grains.

2. Épluchez les pommes de terre, lavez-les et mettez-les dans une grande casserole avec l'eau, la carotte, la branche de céleri, les grains de maïs, les queues de persil, la tomate épluchée et épépinée. Portez à ébullition. Salez et réduisez le feu.

3. Passez la soupe au moulin à légumes. Ajoutez le verre de lait chaud. Remuez bien, puis saupoudrez de paprika avant d'ajouter la crème fraîche. Au moment de servir, ajoutez les grains de maïs que vous aurez réservés à cet effet.

Soupe de la mère Onésime
(voir recette page 130)

Pot-au-feu
(voir recette page 140)

Soupe aux marrons 🍲

Préparation : 30 mn
Cuisson : 1 h 15

1 kg de marrons
250 g de riz
1 branche de céleri
1 carotte
1 poireau
1 oignon
2 gousses d'ail
50 g de beurre
1 verre de lait chaud
Gruyère râpé
2 l d'eau
Sel

1. Incisez les marrons sur le pourtour. Faites-les cuire pendant 5 minutes. Égouttez-les, mais tenez-les au chaud pour les éplucher facilement.

2. Lavez le riz, égouttez-le. Épluchez les légumes, lavez-les et coupez-les en morceaux.

3. Faites bouillir l'eau, ajoutez le sel. A l'ébullition, ajoutez les marrons épluchés, le céleri, la carotte, le poireau, l'oignon et l'ail et faites cuire à petits bouillons.

4. Au bout de 45 minutes, ajoutez le riz et laissez cuire pendant 20 minutes.

5. Passez au moulin à légumes. Ajoutez le lait chaud, le beurre, puis servez la soupe accompagnée de fromage râpé.

Soupe à la menthe 🍲

Préparation : 15 mn
       + 10 mn
Cuisson : 2 h 15 + 25 mn

1 bonne poignée
   de feuilles de menthe
   fraîche
4 tomates
2 oignons
2 gousses d'ail
2 l de consommé
   de volaille (p. 47)
4 cuillerées à soupe
   d'huile de tournesol
2 poignées de pâtes fines
Sel, poivre

1. Lavez, hachez finement la menthe.

2. Épluchez les oignons, hachez-les finement et faites-les revenir dans l'huile. Ajoutez l'ail épluché et écrasé, puis les tomates épluchées, épépinées et coupées en morceaux, et enfin la menthe hachée.

3. Mouillez avec le consommé. Salez légèrement, poivrez, faites partir l'ébullition. Réduisez le feu et faites cuire à petits bouillons pendant 20 minutes.

4. Ajoutez les pâtes fines et continuez la cuisson pendant 5 minutes environ.

Soupe de la mère Onésime

Cuisinière hors pair du début de ce siècle, Madame Saint-Ange a composé un ouvrage culinaire méthodique et savoureux. La soupe de la mère Onésime est extraite de *La Cuisine de Madame Saint-Ange* (Larousse). « Plantureuse à souhait, elle est le type de préparation campagnarde pour le repas matinal des chasseurs (…). »

Préparation : 30 mn
Cuisson : 1 h 30

*100 g de carottes
et autant de navets
(poids net)
50 g de blanc de poireau
60 g de chou
1 dl comble de haricots
blancs frais, autant de
gros pois frais et autant
de haricots verts coupés
en morceaux
1,5 l de liquide
1 petit saucisson
de ménage cru
1 forte cuillerée de bonne
graisse de porc
1 bouquet garni
1 petit morceau de sucre
10 g de sel si le
mouillement est fait
avec de l'eau seulement
1 pincée de poivre*

« Taillez carottes, navets, poireau, chou. Faites-les doucement étuver dans la graisse, en casserole couverte, épaisse, en aluminium ou en fonte.

« Ajoutez ensuite la moitié du liquide dont vous disposez. C'est à ce moment que s'introduisent les os, débris, carcasses, etc., quand on en possède. Faites prendre l'ébullition sur un bon feu. Écumez si c'est nécessaire ; ajoutez le bouquet garni ; le sel, si le liquide est de l'eau ; le sucre. Couvrez et retirez sur le coin du fourneau ou feu doux, pour le laisser tranquillement bouillotter pendant trois quarts d'heure.

« Versez alors le reste du liquide ; faites prendre ébullition ; puis ajoutez les haricots, pois et haricots verts, et le saucisson. L'ébullition étant reprise, comptez à nouveau trois bons quarts d'heure de cuisson.

« Pour servir, enlevez le bouquet garni, os et carcasses si vous en avez mis. Goûtez pour vérifier la note du sel. Coupez le saucisson en tranches, que vous mettez dans la soupière après les avoir divisées en deux ou en quatre, selon les dimensions ; ou bien envoyez-les à part sur une assiette. Ajoutez dans la soupière une pincée de poivre moulu : les campagnards en mettent toujours dans leur soupe, et il y est d'un très bon effet. »

Soupe aux œufs

Préparation : 15 mn
  + 5 mn
Cuisson : 2 h 15 + 20 mn

8 œufs
75 g de gruyère râpé
50 g de beurre
4 larges tranches de pain
2 l de consommé
  de volaille (p. 47)
Poivre

1. Beurrez les tranches de pain, saupoudrez-les de gruyère et disposez-les dans des bols à soupe. Sur chaque tranche de pain, cassez 2 œufs. Poivrez et mouillez avec le consommé.

2. Mettez les bols dans le four préchauffé à température moyenne (th. 5/6 ou 160 °C) 10 minutes auparavant, et faites cuire pendant 10 minutes.

3. Servez avec le fromage râpé restant.

Soupe aux pieds de porc 🍲🍲

Préparation : 15 mn
Cuisson : 3 h 15

1,500 kg de pieds de porc
4 gousses d'ail
30 cl de crème aigre
3 jaunes d'œufs
50 g de farine
3 l d'eau
Sel

1. Lavez les pieds de porc, coupez-les en deux.

2. Mettez-les dans une grande casserole, ajoutez l'eau, le sel, l'ail épluché et faites-les cuire pendant 3 heures.

3. Mettez les jaunes d'œufs dans un bol, ajoutez la crème aigre, la farine et travaillez le tout.

4. Retirez la viande des os, coupez-la en petits dés.

5. Délayez la sauce avec un peu de bouillon. Remettez le tout dans la casserole, remuez pour amener à ébullition. Retirez au premier bouillon. Ajoutez les dés de viande et servez.

Soupe au pistou 🍲

Préparation : 30 mn
Cuisson : 1 h 30

*400 g de haricots blancs
  frais
200 g de haricots verts
200 g de chou vert
200 g de courgettes
2 carottes
1 oignon
2 blancs de poireaux
250 g de pommes de terre
1 branche de céleri
200 g de fèves
3 l d'eau
3 poignées de pâtes
1 tomate
100 g de fromage râpé
Sel*

Pour le pistou :

*6 gousses d'ail
3 branches de basilic
5 cuillerées à soupe
  d'huile d'olive*

1. Écossez les haricots blancs et les fèves. Retirez la deuxième peau des fèves. Effilez les haricots verts et coupez-les en losanges.

2. Coupez en julienne le blanc des poireaux, le céleri et le chou vert. Coupez en morceaux plus gros les carottes, les courgettes, l'oignon et les pommes de terre (conservez-en 1 entière).

3. Mettez tous ces légumes dans une grande marmite et couvrez d'eau. Salez et faites cuire pendant 1 heure.

4. Ébouillantez la tomate, épluchez-la, retirez les graines et ajoutez la pulpe à la soupe. Continuez la cuisson pendant encore 20 minutes.

5. Préparez le pistou : épluchez l'ail et mettez les gousses dans un mortier avec les feuilles de basilic. Écrasez avec le pilon. Lorsque l'ail et le basilic seront finement broyés, liez avec l'huile d'olive.

6. Dix minutes avant la fin de la cuisson, écrasez la pomme de terre avec une fourchette et faites cuire les pâtes dans la soupe. A la fin de la cuisson, versez la sauce au pistou dans la soupe et servez-la accompagnée de fromage râpé.

Soupe de poireaux à l'ancienne 🍲

Préparation : 15 mn
  + 15 mn
Cuisson : 2 h 15 + 30 mn

*750 g de poireaux
75 g de beurre
2 l de consommé
  de volaille (p. 47)
1 pincée de cannelle
Tranches de pain
Sel, poivre*

1. Épluchez les poireaux, lavez-les soigneusement et coupez-les en julienne.

2. Faites fondre le beurre dans une grande casserole et faites-y suer les poireaux sans les laisser colorer. Mouillez avec le consommé. Salez et poivrez. Ajoutez 1 pincée de cannelle. Portez à ébullition, puis laissez cuire à petits bouillons pendant 30 minutes.

3. Coupez de larges tranches de pain et faites-les griller au four. Disposez-les dans les assiettes et servez la soupe chaude dessus.

Soupe aux pois chiches ☕

Trempage : 12 h
Préparation : 10 mn
Cuisson : 2 h 30

300 g de pois chiches
2 gousses d'ail
100 g de lasagnes
2 cuillerées à soupe
    d'huile d'olive
3 l d'eau
1 bouquet garni
Fromage râpé
Sel

1. La veille, mettez les pois chiches à tremper dans de l'eau froide.

2. Le lendemain, lavez-les à l'eau courante, puis mettez-les dans une casserole. Couvrez d'eau, salez, ajoutez le bouquet garni, l'ail et faites cuire à petits bouillons pendant 2 h 30.

3. Trente minutes avant la fin de la cuisson, retirez le bouquet garni et ajoutez les lasagnes.

4. Lorsque les pâtes sont cuites, retirez la soupe du feu, ajoutez l'huile d'olive et servez la soupe aux pois chiches accompagnée de fromage râpé.

Soupe aux pois et au lard ☕

Préparation : 15 mn
Cuisson : 1 h 30

400 g de pois cassés
1 poireau
1 carotte
250 g de pommes de terre
250 g de lard frais
1 cœur de laitue
1 bouquet garni
3 l d'eau
Sel, poivre

1. Nettoyez et épluchez le poireau, la carotte, les pommes de terre et la laitue.

2. Mettez les pois cassés dans une grande casserole avec l'eau, le sel, le bouquet garni, l'ail et le lard. Poivrez. Commencez la cuisson.

3. Au bout de 30 minutes de cuisson, ajoutez le poireau émincé, les pommes de terre, la carotte et le cœur de laitue coupé en julienne. Continuez la cuisson encore 1 heure.

4. Lorsque la cuisson est terminée, retirez le bouquet garni et le lard et servez aussitôt.

Soupe de printemps corse 🍲

Préparation : 15 mn
Cuisson : 1 h

400 g de fèves écossées
400 g de petits pois
  écossés
250 g de pommes de terre
1 oignon
1 gousse d'ail
1 tomate
4 feuilles de menthe
  fraîche
4 feuilles de basilic
1 tranche de lard frais
  de 200 g environ
3 cuillerées à soupe
  d'huile d'olive
2,5 l d'eau
Tranches de pain
Sel

1. Débarrassez le lard de sa couenne et hachez-le finement.

2. Épluchez l'oignon, émincez-le. Épluchez les pommes de terre et coupez-les en morceaux.

3. Faites chauffer l'huile d'olive dans une casserole et faites-y revenir rapidement le lard haché. Mouillez avec l'eau, salez et ajoutez les pommes de terre, l'oignon, les fèves et les petits pois (dont vous aurez conservé quelques cosses). Faites partir l'ébullition, réduisez le feu et laissez bouillotter pendant 30 minutes.

4. Ébouillantez la tomate pour l'éplucher plus facilement, retirez les graines et ajoutez la pulpe à la soupe ainsi que l'ail épluché et écrasé. Continuez la cuisson pendant 30 minutes encore.

5. Cinq minutes avant la fin de la cuisson, ajoutez les feuilles de basilic et les feuilles de menthe lavées et ciselées. Servez la soupe sur des tranches de pain.

Soupe savoyarde 🍲

Préparation : 15 mn
Cuisson : 45 mn

250 g de lard frais
400 g de céleri-rave
250 g de pommes de terre
2 poireaux
2 navets
2 oignons
50 cl de lait
4 cuillerées à soupe
  d'huile de tournesol
50 g de beurre
50 g de gruyère râpé
1,5 l d'eau
Tranches de pain rassis
Sel

1. Épluchez les légumes et coupez-les en julienne.

2. Hachez finement le lard et faites-le revenir dans l'huile.

3. Ajoutez les légumes. Couvrez avec l'eau. Salez et laissez cuire pendant 40 minutes environ.

4. En fin de cuisson, ajoutez le lait chaud puis le beurre.

5. Saupoudrez les tranches de pain de gruyère râpé, disposez-les dans les assiettes et servez dessus la soupe brûlante.

Soupe aux tripes ⊕

La cuisson des tripes est très longue, aussi vous pouvez éviter non seulement leur cuisson, mais aussi leur préparation en les achetant toutes prêtes.

Trempage : 12 h + 4 h
Préparation : 40 mn
Cuisson : 8 h 10

1 kg de tripes
200 g de haricots blancs
*   secs*
1 tranche de lard frais
*   de 150 g environ*
50 g de beurre
1 cœur de céleri
1 oignon piqué de 2 clous
*   de girofle*
2 blancs de poireaux
5 carottes de grosseur
*   moyenne*
250 g de pommes de terre
1 tomate
6 feuilles de chou
2 gousses d'ail
1 branche de céleri
1 bouquet garni
3,5 l d'eau
Parmesan râpé
Sel, poivre

1. La veille, mettez à tremper les haricots dans de l'eau froide.

2. Le lendemain, mettez-les dans une casserole avec le bouquet garni et du sel. Couvrez d'eau et faites-les cuire pendant 1 h 30. Égouttez-les.

3. Si vous utilisez des tripes fraîches, nettoyez-les et faites-les dégorger pendant 4 heures dans de l'eau froide. Égouttez-les et coupez-les en lamelles de 3 cm x 5 cm.

4. Mettez les tripes dans une grande marmite. Ajoutez l'oignon épluché et piqué des clous de girofle, la branche de céleri, 1 carotte épluchée, l'eau et le sel. Commencez la cuisson à feu vif jusqu'à l'ébullition, puis réduisez le feu. Comptez 5 à 6 heures de cuisson.

5. Épluchez les carottes, les blancs de poireaux, le cœur de céleri et les feuilles de chou. Taillez le tout en julienne.

6. Passez le bouillon de cuisson des tripes à travers une étamine.

7. Faites fondre le beurre dans une marmite. Ajoutez le lard haché, puis la julienne de légumes, la tomate débarrassée de ses graines, les tripes et l'ail pelé et écrasé. Mouillez avec le bouillon. Portez à ébullition et faites cuire pendant 10 minutes.

8. Au bout de ce temps, ajoutez les haricots égouttés et les pommes de terre lavées et coupées en morceaux. Laissez cuire 30 minutes. Poivrez. Servez avec du parmesan.

Soupe de vin à la bourguignonne 🍲

Préparation : 20 mn
+ 10 mn
Cuisson : 4 h + 50 mn

1 carotte
1 navet
2 blancs de poireaux
1 oignon
50 g de beurre
50 cl de vin
  de Bourgogne rouge
2 l de consommé blanc
  simple (p. 45)
50 g de semoule
Sel

1. Épluchez les légumes et coupez-les en julienne.

2. Faites fondre le beurre dans une casserole et ajoutez tous les légumes. Laissez-les revenir à feu doux, et mouillez avec le vin.

3. Laissez réduire à la contenance de 3 cuillerées à soupe environ, et ajoutez le bouillon. Salez. Portez à ébullition, réduisez le feu et laissez cuire doucement pendant 40 minutes.

4. Dix minutes avant la fin de la cuisson, ajoutez la semoule. Remuez jusqu'à ce que l'ébullition reprenne et terminez la cuisson à feu doux sans cesser de remuer.

Tourain à l'ail 🍲

Il y a presque autant de manières d'écrire le nom du tourain qu'il y a de façons de préparer cette soupe, qui varie – mais peu cependant – suivant les régions. Ainsi, cette soupe à base d'oignons s'écrit « tourin » ou encore « tourain » suivant que l'on se trouve en Périgord, dans le Sud-Ouest, ou dans le Languedoc. L'oignon est ici remplacé par de l'ail.

Préparation : 10 mn
Cuisson : 30 mn

150 g d'ail
75 g de graisse d'oie
4 œufs
1 cuillerée à soupe
  de vinaigre
3 feuilles de sauge
2 l d'eau
Tranches de pain rassis
Sel, poivre

1. Séparez les blancs des jaunes d'œufs.

2. Épluchez les gousses d'ail, écrasez-les et faites-les fondre à feu doux dans une casserole avec la graisse d'oie.

3. Ajoutez l'eau, le sel, le poivre, les feuilles de sauge, et laissez cuire à gros bouillons pendant 15 minutes.

4. Passez le bouillon et remettez-le sur le feu. A la reprise de l'ébullition, versez les blancs d'œufs et fouettez vivement. Ajoutez le vinaigre aux jaunes d'œufs.

5. Délayez avec 1 louche de bouillon, puis ajoutez cette liaison au bouillon restant. Remettez le tout sur le feu et retirez à l'apparition de l'ébullition.

6. Versez dans la soupière sur des tranches de pain rassis.

Tourain bordelais

Préparation : 10 mn
Cuisson : 25 mn

75 g de beurre
350 g d'oignons
1 cuillerée à soupe
  de farine
2 jaunes d'œufs
2 l de lait
10 cl de crème fraîche
Croûtons grillés
Sel, poivre

1. Épluchez les oignons, émincez-les et faites-les revenir tout doucement sans les laisser brunir dans le beurre.

2. Saupoudrez de farine, mélangez et mouillez avec le lait. Portez à ébullition tout en tournant. Réduisez le feu, salez, poivrez et laissez cuire 20 minutes.

3. Mettez les jaunes d'œufs et la crème fraîche dans un bol. Ajoutez un peu de bouillon. Délayez.

4. Retirez la soupe du feu, ajoutez la liaison, mélangez intimement le tout, et versez le tourain dans la soupière sur des croûtons grillés.

Tourain périgourdin

Préparation : 15 mn
Cuisson : 45 mn

200 g d'oignons
75 g de graisse d'oie
2 gousses d'ail
2 tomates
2 jaunes d'œufs
1 cuillerée à soupe
  de farine
2 l de bouillon
Tranches de pain
Sel, poivre

1. Ébouillantez les tomates pour mieux les éplucher, et retirez les graines.

2. Épluchez les oignons et émincez-les.

3. Mettez la graisse d'oie à fondre dans une casserole, et ajoutez les oignons. Faites-les revenir sans les faire brunir.

4. Ajoutez la cuillerée de farine, l'ail écrasé et la pulpe de tomate. Mélangez bien et mouillez avec le bouillon. Amenez à ébullition sans cesser de tourner. Salez, poivrez et laissez cuire à gros bouillons pendant 45 minutes.

5. A la fin de la cuisson, liez la soupe avec les jaunes d'œufs.

6. Disposez des tranches de pain dans la soupière et versez le tourain dessus.

LES PANADES

Au XVIᵉ siècle, les panades étaient considérées comme des remèdes et figuraient à ce titre sur les ordonnances d'Ambroise Paré. Elles furent et sont toujours essentiellement composées de pain rassis, de bouillon, de lait ou d'eau, et de beurre. C'est un bon moyen pour utiliser les restes de pain, mais encore faut-il un pain de campagne, car la mie est plus fine. Vous agrémenterez la préparation des panades en ajoutant potiron, oignon, céleri, etc.

Mourtayrol 🍲

Cette panade est originaire du Rouergue.

Préparation : 15 mn
+ 5 mn
Cuisson : 2 h 15

600 g de pain
de campagne
2 l de consommé
de volaille (p. 47)
Safran

1. Coupez le pain en tranches fines et disposez-les dans une soupière en terre. Versez sur ces tranches la moitié du bouillon dans lequel vous avez mis le safran.

2. Mettez la soupière au four et laissez le pain absorber le bouillon.

3. Terminez de mouiller avec le consommé en partie ou en totalité : il faut que le mourtayrol soit bien consistant.

Panade aux poireaux 🍲

Préparation : 10 mn
Cuisson : 35 mn

400 g de blancs
de poireaux
2 gousses d'ail
400 g de pain rassis
5 cuillerées à soupe
d'huile
2 l de bouillon
2 jaunes d'œufs
50 g de beurre
Sel

1. Émincez finement les blancs de poireaux et faites-les fondre à feu doux dans l'huile avec l'ail.

2. Mouillez avec le bouillon. Salez, ajoutez le pain rassis coupé en morceaux. Faites mijoter 30 minutes.

3. En fin de cuisson, battez le pain avec un fouet pour bien homogénéiser le tout, et ajoutez le beurre et les jaunes d'œufs.

LES POT-AU-FEU

« La beauté du pot-au-feu, carotte, navet,
oignon, clou de girofle planté comme un clou
dans l'oignon, ail, laurier, poireau dans sa ficelle,
feuille de céleri... Oui, dit Marinette avec fierté,
et tout ça bout comme un ministère. »

JULES RENARD

Ah ! le pot-au-feu ! Faut-il avoir au moins 30 ans pour le savourer, comme le prétendent des auteurs du début du siècle ? Faut-il que le goût se soit formé maintes et maintes fois pour apprécier la sapidité de son bouillon comme de tout ce qui l'accompagne ? Est-il formé alors à 30 ans ? A 20 ? Ou à 40 ? Tout dépend bien entendu du parcours culinaire et du goût de chacun.

Mais venons-en à notre pot-au-feu populaire, qui séduisit des hommes illustres et non des moindres, puisque Goethe lui-même eut l'occasion de l'apprécier en 1792 en Lorraine :

« (...) Au-dessus du feu pendait une grosse marmite de fonte dans laquelle bouillait le mets national appelé "pot-au-feu". J'en suivis les apprêts avec beaucoup d'attention. Le bœuf était déjà presque cuit lorsque l'on mit dans la marmite des carottes, des navets, des poireaux, des choux et autres légumes. Pendant que tous ces ingrédients cuisaient à petit feu, j'admirai l'ordre de la pièce. La maîtresse de maison restait assise auprès du feu, tenant un petit garçon sur ses genoux. Deux autres se pressaient autour d'elle, tandis que la servante remplissait de petites tranches de pain blanc les assiettes en bois et les bols déposés sur la table. Puis elle versa du bouillon de la marmite en nous engageant à en manger. Les légumes et la viande complétèrent ce dîner si simple et dont tout le monde paraissait se trouver heureux. »

Comment le réussir, ce pot-au-feu tout en saveur qui ne doit – semble-t-il – son secret qu'à sa simplicité ? Simplement, puisqu'il est composé de viande de bœuf – macreuse, plat de côtes, gîte à la noix ; mais il arrive aussi que l'on y ajoute, suivant les régions, des morceaux d'une viande blanche, ou que la viande de bœuf soit remplacée en totalité par une autre viande.

Le pot-au-feu traditionnel est aussi appelé « grande marmite ».

Pot-au-feu ☙

Préparation : 30 mn
Cuisson : 3 h

1 kg de macreuse
500 g de gîte à la noix
250 g de plat de côtes
3 poireaux
4 carottes
4 navets
4 pommes de terre
2 oignons piqués
  de 4 clous de girofle
1 bouquet garni
1 gousse d'ail
5 l d'eau froide
1 os à moelle
Sel

Pour les croûtes au pot :

1 baguette de l'avant-
  veille

1. Ficelez les viandes afin qu'elles ne se défassent pas pendant la cuisson.

2. Mettez-les dans une grande marmite avec le plat de côtes et l'os, les oignons épluchés et piqués des clous de girofle. Couvrez d'eau froide et amenez à ébullition. Écumez autant de fois qu'il sera nécessaire. Salez et commencez la cuisson en sachant qu'il faut compter environ 2 h 30 à 3 heures.

3. La cuisson ayant commencé, épluchez les légumes. Lavez-les et laissez-les entiers. Ficelez les poireaux en botte. Ajoutez tous les légumes au bouillon ainsi que le bouquet garni environ 2 heures après le début de la cuisson. Les pommes de terre sont cuites à part, ou ajoutées 30 minutes avant la fin de la cuisson.

4. Lorsque la cuisson est terminée, enlevez l'os du bouillon.

5. Vous pourrez préparer des croûtes au pot tartinées avec la moelle de l'os : prenez 1 baguette de pain de l'avant-veille, partagez-la en tronçons de 5 cm environ, retirez la mie. Mettez les tronçons sur une plaque et desséchez-les au four. Arrosez-les de graisse de pot-au-feu et faites-les dorer au four. Disposez-les dans la soupière (pot) sur le dessus du bouillon.

6. Servez la viande et les légumes à part avec des cornichons, de la moutarde, de la mayonnaise, du gros sel, ou encore du beurre ou une sauce vinaigrette à l'huile d'olive.

N.B. : si vous privilégiez le bouillon, il vous faut effectivement mettre la viande dans l'eau froide. Par contre, si c'est la sapidité que vous favorisez, il vous faut la plonger dans l'eau chaude.

Pot-au-feu au lapin 🍲

Préparation : 30 mn
Cuisson : 3 h

1 lapin
1 petit céleri-rave
4 carottes
4 navets
2 oignons piqués
*   de 4 clous de girofle*
4 poireaux
1 branche de céleri
4 pommes de terre
1 bouquet garni
5 l d'eau
Sel, poivre

1. Coupez le lapin en morceaux. Mettez-les dans une grande marmite, couvrez d'eau et commencez la cuisson. Écumez et salez.
2. Épluchez tous les légumes. Lavez-les et laissez-les entiers à l'exception des poireaux, que vous couperez en deux et lierez en botte. Plongez-les dans le bouillon, ajoutez le bouquet garni. Écumez et continuez la cuisson 2 ou 3 heures suivant l'âge du lapin.
3. Trente minutes avant la fin de la cuisson, ajoutez les pommes de terre.
4. Servez viande et légumes à part, accompagnés de cornichons et de sauce vinaigrette.

Poule au pot 🍲

C'est à Henri IV que nous devons la poule au pot, tout du moins c'est ce que nous rapporte l'histoire, d'une conversation entre le roi et le duc de Savoie : « Si Dieu me prête encore la vie, je ferai qu'il n'y ait point de laboureur en mon royaume, qui n'ait le moyen d'avoir une poule dans son pot... »
L'a-t-il eue, le peuple, la poule dans son pot ? Si l'on en croit une chanson populaire qui courait les rues deux cents ans après, nous serons sceptiques :
Enfin la poule au pot va être mise,
On peut du moins le présumer
Car depuis deux cents ans qu'elle nous est promise
On n'a cessé de la plumer.

Préparation : 30 mn
Cuisson : 2 h 15

1 grosse poule de 2 kg
*   environ*
1 gros oignon piqué
*   de 3 clous de girofle*
4 carottes
4 poireaux
1 navet
1 branche de céleri
4 pommes de terre
1 bouquet garni
4 l d'eau
Sel

1. Nettoyez et lavez tous les légumes. Coupez les poireaux et liez-les en botte.
2. Mettez la poule bridée dans une grande marmite, couvrez d'eau et portez à ébullition. Écumez dès que l'écume se forme, salez.
3. Ajoutez les légumes et le bouquet garni. Écumez à nouveau. Faites repartir l'ébullition, réduisez le feu. Laissez cuire 2 heures.
4. Ajoutez les pommes de terre 30 minutes avant la fin de la cuisson. Servez comme précédemment.

Poule au pot à la béarnaise 🍲

Préparation : 40 mn
Cuisson : 4 h 10

1 poule de 2 kg environ
1 kg de jarret de veau
5 carottes
4 poireaux
1 navet
4 pommes de terre
1 gros oignon piqué
  de 4 clous de girofle
1 petit bâton de cannelle
1 bouquet garni
5 l d'eau
Sel

Pour la farce :

200 g de jambon de Paris
  (dont vous utiliserez
  le gras et le maigre)
2 gousses d'ail
Le foie de la poule
200 g de mie de pain
  (sans la croûte)
50 cl de lait
2 œufs entiers
Sel, poivre

1. Mettez le jarret de veau dans une grande marmite, couvrez d'eau et amenez à ébullition. Commencez à écumer dès que l'écume se forme à la surface. Écumez autant de fois qu'il sera nécessaire. Salez, puis ajoutez le navet et les carottes épluchés et lavés, les poireaux lavés, coupés et liés en botte, l'oignon, le bouquet garni et la cannelle.

2. Faites repartir l'ébullition. Réduisez le feu et laissez cuire à petits bouillons pendant 2 heures.

3. Pendant ce temps, préparez la farce : faites tremper la mie de pain dans le lait. Hachez finement le gras et le maigre du jambon, le foie de la poule, et les gousses d'ail épluchées. Mettez le tout dans une terrine. Ajoutez la mie de pain écrasée, les œufs entiers. Salez, poivrez et mélangez intimement le tout.

4. Remplissez la poule avec cette farce et recousez l'ouverture afin que la farce ne s'échappe pas pendant la cuisson. Ajoutez la poule farcie au reste du pot-au-feu et continuez la cuisson dès la reprise de l'ébullition pendant 2 heures. Ajoutez les pommes de terre 30 minutes avant la fin de la cuisson.

5. Servez les légumes à part avec la poule et le jarret de veau coupés en morceaux, et la farce en tranches. Accompagnez le tout de moutarde, de gros sel, de cornichons, ou de mayonnaise. Le bouillon est servi nature ou avec des vermicelles.

LES POTÉES

« Ces potées où se mêlent toutes les viandes de la ferme, tous les légumes du jardin et que seuls connaissent les pays agricoles dans leurs heures de sérénité. »

GEORGES DUHAMEL

La potée est faite avec de la viande de porc et des légumes. La plus connue est certainement la potée aux choux. Il y a presque autant de potées qu'il y a de régions.

Potée alsacienne

Trempage : 12 h
Préparation : 30 mn
Cuisson : 2 h 40

1 tranche de lard fumé de 250 g
1 côtelette de porc par personne
1 chou pommé
4 carottes
4 pommes de terre
1 branche de céleri
400 g de haricots blancs secs
1 oignon
75 g de saindoux
1 cuillerée à café de grains de genièvre
Tranches de pain rassis
3,5 l d'eau
Sel, poivre

1. La veille, mettez les haricots blancs à tremper dans de l'eau froide.

2. Le lendemain, nettoyez le chou, lavez-le et faites-le blanchir 5 minutes dans de l'eau bouillante salée. Égouttez-le.

3. Épluchez les légumes, lavez-les et laissez-les entiers.

4. Mettez le saindoux dans une grande marmite et la tranche de lard à revenir légèrement et ajoutez tous les légumes, ainsi que les grains de genièvre. Salez, poivrez, couvrez d'eau et, après l'ébullition, faites cuire à feu doux pendant 2 h 30.

5. Servez le bouillon à part sur des tranches de pain rassis. Accompagnez les légumes de la potée avec les côtelettes grillées ou passées à la poêle.

Potée auvergnate 🍲

Trempage : 5 à 6 h
Préparation : 30 mn
Cuisson : 3 h 05

*1,250 kg de palette
de porc demi-sel
750 g de plat de côtes
de bœuf
500 g de poitrine de porc
1 gros chou
6 carottes
1 oignon piqué de 4 clous
de girofle
5 pommes de terre
1 cuillerée à soupe
de saindoux
5 l d'eau
Tranches de pain
(de seigle,
de préférence)
Sel*

1. Mettez la palette de porc à dessaler dans de l'eau froide pendant 5 à 6 heures. N'hésitez pas à changer l'eau plusieurs fois.

2. Nettoyez le chou, lavez-le et coupez-le en quartiers. Blanchissez-le 5 minutes dans de l'eau bouillante salée. Égouttez-le.

3. Dans une grande marmite, mettez la palette de porc bien rincée, la poitrine et le plat de côtes. Couvrez avec l'eau. Portez à ébullition. Écumez plusieurs fois. Salez et ajoutez l'oignon, le chou, les carottes épluchées, lavées et laissées entières. Faites repartir l'ébullition, ajoutez le saindoux et continuez la cuisson à petits bouillons pendant 3 heures.

4. Trente minutes avant la fin de la cuisson de la potée, épluchez, lavez les pommes de terre, coupez-les en quatre et faites-les cuire à part dans de l'eau salée.

5. Retirez les légumes et les viandes que vous présenterez dans le plat de service. Versez le bouillon dans les assiettes sur de larges tranches de pain, de seigle de préférence.

Potée lorraine 🍲

Trempage : 12 h +
    5 à 6 h
Préparation : 30 mn
Cuisson : 3 h 05

*200 g de couenne de lard
1 tranche de lard de
poitrine frais non salé
1,500 kg de palette
de porc demi-sel
1 saucisson à l'ail
4 carottes
4 navets
1 oignon
2 poireaux
250 g de haricots blancs
1 chou vert*

1. La veille, faites tremper les haricots dans de l'eau froide.

2. Le lendemain, mettez la palette à dessaler dans de l'eau froide 5 à 6 heures. Changez l'eau trois ou quatre fois. Rincez la viande à la fin du dessalage.

3. Nettoyez le chou, coupez-le en quartiers et blanchissez-le pendant 5 minutes dans de l'eau bouillante salée. Égouttez-le.

4. Avec les couennes, tapissez le fond d'une grande marmite. Mettez dessus la tranche de lard, la palette dessalée, les carottes, les haricots, les navets, l'oignon, les poireaux nettoyés, coupés et liés en botte, le chou vert. Couvrez d'eau. Salez, poivrez. Faites partir

4 pommes de terre
4 l d'eau
Sel, poivre

l'ébullition, puis réduisez le feu, et laissez cuire tout doucement pendant 3 heures.

5. Quarante-cinq minutes avant la fin de la cuisson, ajoutez le saucisson, que vous aurez pris soin de piquer avec une aiguille en divers endroits pour qu'il n'éclate pas.

6. Épluchez les pommes de terre, lavez-les et faites-les cuire à part. Servez-les accompagnées des autres légumes.

Potée périgourdine ◕

Préparation : 40 mn
Cuisson : 3 h 05

1 kg de poitrine de petit
  salé
2 saucissons
1 petit chou pommé
4 carottes
3 poireaux
1 oignon
3 gousses d'ail
1 bouquet garni
4 grosses pommes
  de terre
250 g de fèves
  décortiquées
  (à la saison)
Tranches de pain rassis
4 l d'eau
Sel, poivre

Pour les farcis :

Lard
Mie de pain
Ail
Persil
Œuf
Sel

1. Retirez les premières feuilles du chou en prenant soin de ne pas les abîmer. Ébouillantez-les quelques secondes et laissez-les s'égoutter sur une serviette. Réservez-les.

2. Nettoyez le chou et coupez-le en quatre, lavez-le, blanchissez-le 5 minutes dans de l'eau bouillante salée.

3. Mettez le bouquet garni et tous les légumes, à l'exception des pommes de terre, dans une marmite. Ajoutez-y le petit salé. Couvrez d'eau, poivrez et faites partir la cuisson. Laissez cuire à feu doux pendant 3 heures.

4. Pendant ce temps, préparez les farcis : hachez le lard, la mie de pain, l'ail et le persil. Mettez le tout dans une terrine. Ajoutez l'œuf, salez et mélangez intimement l'ensemble. Répartissez la farce sur les feuilles de chou réservées à cet effet et enveloppez-la. Ficelez chaque feuille après en avoir bien replié les côtés.

5. Quarante-cinq minutes avant la fin de la cuisson, ajoutez les pommes de terre épluchées et coupées en quatre, les saucissons que vous aurez piqués avec une aiguille afin qu'ils n'éclatent pas pendant la cuisson. Ajoutez en dernier lieu les farcis.

6. Présentez les farcis, le petit salé, les saucissons et les légumes à part. Servez le bouillon sur des tranches de pain rassis.

Potée toulousaine 🍲

Trempage : 12 h
Préparation : 30 mn
Cuisson : 2 h 45

*2 kg de plat de côtes
de bœuf
4 saucisses de Toulouse
300 g de haricots blancs
secs ou frais
1 petit chou
2 oignons
4 poireaux
3 carottes
3 navets
1 bouquet garni
4 grosses pommes
de terre
75 g de saindoux
4 l d'eau
Sel, poivre*

1. Si les haricots sont secs, mettez-les à tremper la veille dans de l'eau froide. S'ils sont frais, cela n'est pas nécessaire.

2. Coupez le chou en quartiers et faites-le blanchir dans de l'eau bouillante salée. Réservez.

3. Coupez la viande en morceaux et mettez-la dans une marmite avec l'eau. Portez à ébullition, écumez plusieurs fois. Salez, poivrez, ajoutez le bouquet garni et laissez cuire 30 minutes.

4. Au bout de ce temps, ajoutez les haricots. Faites repartir l'ébullition et comptez 1 h 30 de cuisson environ.

5. Pendant ce temps, faites revenir dans le saindoux, à l'exception des pommes de terre, tous les légumes, que vous aurez pris soin d'éplucher, de laver et d'émincer. Vous mouillerez avec le bouillon et ajouterez la viande lorsque celle-ci sera cuite.

6. Ajoutez alors les pommes de terre coupées en morceaux, les saucisses piquées en plusieurs endroits avec une grosse aiguille. Laissez cuire 45 minutes à feu doux à partir de la mise en route de l'ébullition.

LES SOUPES GLACÉES

Les soupes glacées sont originales et fort bienvenues quand le soleil annonce enfin les beaux jours. Lorsque ce ne sont pas des consommés, ces soupes tiennent à la fois, et le plus souvent, des sauces et des crèmes.

Soupe à l'ail ☙

Préparation : 30 mn

6 gousses d'ail
200 g d'amandes
*   mondées*
500 g environ de raisin
*   muscat*
100 g de mie de pain
*   de seigle*
2 cuillerées à soupe
*   d'huile d'olive*
1 cuillerée à soupe
*   de vinaigre*
2 l d'eau
Sel

1. Égrenez les raisins et retirez la peau des grains. Cela prend du temps, mais, en procédant ainsi, le fruit donne toute sa saveur. Réservez les grains.

2. Mettez dans un mortier les gousses d'ail épluchées, la mie de pain et les amandes mondées (ébouillantées et débarrassées de leur peau une fois retirées de leur coque). Avec le pilon, écrasez le tout le plus finement possible. Puis ajoutez l'huile et le vinaigre en mélangeant intimement le tout. Ajoutez 1 petite pincée de sel.

3. Versez cette pâte dans une soupière et délayez avec l'eau.

4. A ce moment-là, ajoutez les grains de raisin et mettez la soupière au réfrigérateur. Servez bien frais avec un vin blanc fruité.

Soupe aux avocats ☙

Préparation : 30 mn

4 avocats
Le jus de 1/2 citron
25 cl de crème fraîche
75 cl de consommé
*   de volaille (p. 47)*
*   ou d'eau*
1 cuillerée à café
*   de cerfeuil haché*
Sel, poivre

1. Épluchez les avocats, coupez-les en deux et retirez le noyau. Écrasez les chairs au tamis.

2. Dans une terrine, mettez le jus de citron, la purée d'avocats, la crème fraîche, le consommé ou l'eau. Mélangez bien le tout. Salez, poivrez.

3. Versez cette soupe dans des coupes et faites rafraîchir au réfrigérateur. Au moment de servir, parsemez de cerfeuil haché.

Soupe aux avocats et au thon 🍲

Préparation : 30 mn

4 avocats
1 boîte de thon au naturel
Le jus de 1/2 citron
1 l d'eau
25 cl de crème fraîche
*   épaisse*
Sel, poivre

1. Épluchez les avocats et passez les chairs au tamis. Mettez-les dans une terrine avec le jus de citron.

2. Hachez finement le thon en le passant au moulin à persil, cela est suffisant pour le réduire en hachis.

3. Ajoutez le thon, l'eau, la crème fraîche, le sel et le poivre à la chair de l'avocat. Mettez dans des coupes et faites rafraîchir avant de servir.

Soupe aux cerises 🍲

Préparation : 30 mn

750 g de cerises noires
50 cl d'eau
50 cl de vin rouge
*   (bordeaux,*
*   de préférence)*
Le zeste de 1 citron
1 pincée de cannelle
1 cuillerée à café
*   de fécule de pomme*
*   de terre*

1. Dénoyautez les cerises.

2. Mettez les chairs dans une casserole avec l'eau, le zeste de citron et la cannelle. Mettez celle-ci sur le feu et portez à ébullition. Laissez bouillir tout doucement pendant 10 minutes. Passez au tamis.

3. Dans une autre casserole, vous aurez mis les noyaux de cerises broyés, le vin, et vous aurez laissé bouillir le tout pendant 3 minutes, puis passé le vin au chinois.

4. Délayez tout doucement la fécule avec le vin et ajoutez-le au jus de cerises. Remettez-le tout doucement à ébullition sans cesser de tourner. Retirez du feu au premier bouillon. Versez dans les coupes.

5. Laissez refroidir à température ambiante, puis mettez les coupes au réfrigérateur jusqu'au moment de servir. Servez glacé.

Soupe aux cerises et aux œufs 🍲

Préparation : 30 mn
Cuisson : 20 mn

750 g de cerises
1 l d'eau
1 cuillerée à soupe
  de sucre en poudre
3 œufs entiers
1 bâton de cannelle

1. Mettez les cerises débarrassées de leurs noyaux dans une casserole. Ajoutez l'eau froide et la cannelle. Portez à ébullition et laissez cuire 15 minutes à gros bouillons. Sucrez. Retirez le bâtonnet de cannelle.
2. Mettez les œufs dans une terrine, battez-les et versez dessus le liquide bouillant. Remuez, remettez dans la casserole et portez tout doucement à ébullition sans cesser de tourner. Retirez immédiatement du feu au premier bouillon.
3. Versez la soupe dans une soupière et placez celle-ci dans une large terrine contenant de la glace pilée afin que la soupe prenne rapidement.

Soupe au citron 🍲

Préparation : 45 mn

4 citrons non traités
1,5 l d'eau
50 cl de crème fraîche
50 g de crème de riz
Sel

1. Pressez le jus de 3 citrons et mettez-le dans une casserole avec l'eau, 1 pincée de sel et le zeste de 1 citron râpé. Portez à ébullition et laissez bouillir 5 minutes. Retirez du feu.
2. Mettez la crème de riz dans une terrine et délayez petit à petit avec l'eau citronnée. Remettez le tout dans la casserole et portez à ébullition tout doucement sans cesser de tourner. A la reprise de l'ébullition, réduisez le feu et laissez cuire à petits bouillons pendant 20 minutes.
3. Retirez du feu, ajoutez la crème fraîche, mélangez bien. Versez dans les coupes et mettez au frais après avoir laissé refroidir à température ambiante.
4. Au moment de servir, ajoutez 1 rondelle de citron dans chaque coupe.

Soupe au concombre 🍲

Préparation : 15 mn

1 gros concombre
3 cornichons
Le jus de 1 citron
25 cl de crème fraîche
épaisse
4 yaourts
1 cuillerée à soupe
de ciboulette hachée
Sel, poivre

1. Épluchez le concombre. Coupez-le en deux puis en quatre, retirez les graines, et coupez les chairs en minuscules dés.

2. Passez les cornichons au moulin à persil et mettez cette purée dans une terrine.

3. Ajoutez les dés de concombre, la crème fraîche, les yaourts, le jus de citron. Salez, poivrez, mélangez le tout et versez dans la soupière. Mettez au réfrigérateur.

4. Au moment de servir, ajoutez la ciboulette hachée.

Soupe au melon 🍲

Préparation : 30 mn

1 l de lait caillé
1 melon de 1 kg environ
3 cuillerées à soupe
de fenouil haché
1 cuillerée à café
de graines de fenouil
(ou 1 ombelle fraîche
s'il en pousse
près de chez vous)
15 g de beurre
Glaçons
Sel

1. Coupez le melon en huit, épluchez les parts, ôtez les graines. Prélevez 600 g que vous coupez en dés et réservez. Râpez les morceaux restants au-dessus d'une passoire pour récupérer le jus.

2. Mettez le beurre à fondre dans une poêle et faites-y revenir tout doucement le fenouil haché. Salez.

3. Dans une jatte, mettez le lait caillé, le fenouil haché, le jus et les dés de melon. Ajoutez aussi les graines de fenouil, ou l'ombelle émiettée entre vos doigts. Déposez la jatte au réfrigérateur pendant 3 à 4 heures.

4. Au moment de servir, pilez les glaçons, jetez-les dans la soupe et servez.

LES SOUPES DES ENFANTS

Les soupes faites à la maison sont une délicieuse transition pour les bébés. Elles leur permettent de passer du lait aux aliments solides en les familiarisant avec des saveurs nouvelles, ce qui est excellent pour développer leur goût.

Nous indiquons ici quelques recettes de base qui pourront être exécutées avec la plupart des légumes (il faut écarter les légumineuses, les choux, les légumes trop acides pour les tout-petits). Si l'on y ajoute un peu de jambon mixé, ou du poisson non gras, du fromage râpé, le jaune d'un œuf dur, les petits gastronomes seront comblés.

Les proportions sont difficiles à établir dans le cas particulier des tout-petits puisque celles-ci varient avec l'âge des enfants. Nous les établissons pour le repas d'un enfant de quelques mois. Libre à vous de les augmenter ou de les modifier selon l'âge ou le nombre d'enfants.

Il est à noter que ces soupes sont plus des soupes-purées que des soupes fluides. Ne servez jamais les soupes trop chaudes pour les tout-petits.

Crème d'asperges au jambon 🍲

Préparation : 10 mn
Cuisson : 20 mn

*7 à 8 grosses asperges
  blanches
50 g de jambon
15 g de beurre
1 cuillerée à café
  de gruyère râpé
Sel*

1. Épluchez les asperges avec un couteau économe. Lavez-les et faites-les cuire pendant 15 à 20 minutes à la vapeur (la cuisson à la vapeur est toujours un peu plus longue qu'à l'eau). N'utilisez que les têtes et la partie haute non filandreuse. Passez-les au mixeur.

2. Mixez aussi le jambon après l'avoir découenné et dégraissé. Ajoutez-le à la purée d'asperges.

3. Mettez le tout dans une casserole à feu doux et délayez avec un peu d'eau de cuisson des asperges suivant la consistance que vous désirez obtenir. Salez. Ajoutez alors le beurre et le gruyère râpé. Ne servez pas trop chaud.

Crème de potiron 🍲

Préparation : 10 mn
Cuisson : 35 mn

100 g de potiron
1 jaune d'œuf dur
15 g de beurre
Sel

1. Épluchez, lavez et faites cuire le potiron coupé en morceaux dans de l'eau bouillante salée. Retirez avec une écumoire et passez au mixeur. Tenez-le au chaud et réservez son eau de cuisson.

2. Ajoutez le jaune d'œuf dur écrasé à la fourchette, le beurre et, seulement si c'est nécessaire, un peu d'eau de cuisson. Servez moyennement chaud.

Semoule à la courgette et à l'œuf 🍲

Préparation : 5 mn
Cuisson : 20 mn

1 courgette de 100 g
environ
1 jaune d'œuf dur
25 g de semoule
de blé dur fine
15 g de beurre
10 cl d'eau
Sel

1. Lavez la courgette. Faites-la cuire dans de l'eau bouillante salée pendant 20 minutes. Égouttez-la. Passez-la au mixeur.

2. Mettez la semoule dans une casserole avec l'eau et un peu de sel. Portez sur le feu et faites épaissir.

3. Retirez du feu, ajoutez la courgette, le jaune d'œuf dur écrasé à la fourchette, le beurre. Mélangez. Détendez avec un peu d'eau de cuisson pour obtenir la consistance que vous souhaitez.

Soupe de printemps ☕

Préparation : 10 mn
Cuisson : 30 mn

150 g poids net
  de légumes variés :
  carottes nouvelles, fèves
  (débarrassées
  de leur seconde peau),
  courgettes, petits pois
45 g de jambon
15 g de beurre
Sel

1. Faites cuire les légumes épluchés et lavés dans de l'eau bouillante salée. Égouttez-les, passez-les au mixeur. Réservez l'eau de cuisson.

2. Ajoutez le jambon mixé, le beurre. Détendez avec un peu d'eau de cuisson des légumes.

Soupe de saison à la sole ☕

Nous proposons pour cette soupe le cœur d'artichaut.

Préparation : 10 mn
Cuisson : 35 mn

100 g de cœur
  d'artichaut
  (soit 1 breton, soit 2
  ou 3 violets selon
  la grosseur)
75 g de filet de sole
15 g de beurre
Sel

1. Lavez et parez les artichauts. Faites-les cuire pendant 30 minutes dans de l'eau bouillante salée. Otez le foin, passez le (ou les) cœur(s) au mixeur.

2. Faites cuire le filet de sole au bain-marie (quelques minutes sont suffisantes). Passez-le au mixeur.

3. Mettez la purée d'artichauts dans une casserole sur feu doux, ajoutez le poisson, le beurre, détendez avec un peu d'eau chaude.

LES SOUPES DE POISSONS

Ah ! les soupes de poissons. Nées d'une pêche miraculeuse ou d'un marché chez le poissonnier, elles ont toutes quelque chose de sublime et un goût de vacances inoubliable. Qu'elles soient de la côte méditerranéenne ou de la côte atlantique, elles ouvrent plus que dignement un repas.

Soupe d'alose 🝖

Préparation : 10 mn
Cuisson : 25 mn

1 kg de têtes d'alose
2 oignons
3 carottes
75 cl de vin rouge
1,5 l d'eau
1 bouquet garni
1 pointe de noix muscade
*   râpée*
50 g de beurre
2 cuillerées à soupe de
*   cerfeuil et persil hachés*
Croûtons grillés
Sel, poivre

1. Faites fondre le beurre dans une casserole et faites-y revenir à feu doux les carottes et les oignons épluchés et coupés en morceaux.

2. Mouillez avec le vin rouge et l'eau. Ajoutez les têtes d'alose, le bouquet garni. Salez, poivrez et laissez cuire pendant 20 minutes.

3. Passez la soupe au moulin à légumes. Retirez les arêtes. Ajoutez la pointe de muscade. Saupoudrez avec les fines herbes hachées et servez sur des croûtons grillés.

Soupe d'anguille 🝖

Préparation : 5 mn
Cuisson : 30 mn

1 kg d'anguille
600 g de branches
*   de céleri*
75 g de beurre
25 cl de vin blanc sec
1,75 l d'eau
Sel, poivre

1. Lavez les branches de céleri, coupez-les en morceaux et retirez les plus gros fils. Blanchissez-les dans de l'eau bouillante salée pendant 15 minutes. Égouttez-les.

2. Dépouillez l'anguille, retirez la tête et coupez des filets que vous faites sauter dans le beurre chaud.

3. Salez, poivrez, ajoutez le vin blanc et l'eau. Laissez cuire 10 minutes et ajoutez le céleri.

Bouillabaisse ⊕⊕

Pour certains, ce serait Vénus, la déesse de l'amour, qui inventa cette soupe pour séduire Vulcain ; d'autres l'attribuent à une certaine abbesse d'un couvent marseillais. Cette soupe, à l'origine modeste soupe de pêcheur, a largement été célébrée : en vers, en chansons ; et si, de Marseille à Menton, elle s'appelle toujours bouillabaisse, malgré les diverses variétés de poissons que l'on y met, nous retiendrons, comme Fernandel, que « pour faire une bonne bouillabaisse il faut se lever de bon matin », la bouillabaisse commençant avec la pêche, bien évidemment.

La bouillabaisse ne comporte pas de pommes de terre. Certains y mettent un peu de pastis ou de vin blanc, c'est une affaire de goût.

Préparation : 40 mn
Cuisson : 45 mn

2 kg de poissons à chair
ferme (saint-pierre,
galinette, congre, vives,
merlans, loup)
600 g de poissons de
roche pour le fond de la
soupe (rascasses,
girelles, rouquiers,
sarres)
20 cl d'huile d'olive
2 oignons
1 poireau
2 carottes
1 bouquet garni (persil,
thym, romarin)
1 branche de céleri
1 bonne pincée de safran
3 tomates
3 l d'eau
Rouille (p. 33)
Croûtons grillés
Sel, poivre

Pour la marinade :
25 cl d'huile d'olive
Safran
1 branche de thym
1 branche de romarin
Sel, poivre

1. Nettoyez tous les poissons. Parmi les saint-pierre, galinette, congre, vives, merlans et loup, coupez en tronçons les plus gros poissons et laissez entiers ceux de taille moyenne. Mettez-les dans un plat creux avec tous les ingrédients de la marinade et laissez-les au frais pendant que vous préparez le reste de la soupe.

2. Épluchez oignons, poireau et carottes. Émincez les oignons et taillez le poireau en julienne. Coupez les carottes en rondelles.

3. Faites chauffer l'huile dans une grande casserole et faites revenir tous les légumes. Ajoutez les petits poissons de roche que vous aurez nettoyés auparavant. Couvrez d'eau. Salez, poivrez. Ajoutez les tomates débarrassées de leur peau et de leurs graines, le bouquet garni, la branche de céleri et la pincée de safran. Faites partir l'ébullition.

4. Au bout de 20 minutes, retirez le bouquet et passez la soupe au chinois. Remettez cette soupe dans la casserole et ajoutez les poissons entiers et tronçonnés, ainsi que la marinade. Dès que l'ébullition reprend, comptez 15 minutes de cuisson menée rondement.

5. Pendant que la bouillabaisse termine sa cuisson, préparez la rouille (voir p. 33).

6. Au moment de servir, retirez les poissons de la soupe et présentez-les dans un plat à part. Versez la soupe dans une soupière et servez le tout avec de petites tranches de pain grillées, ainsi que la rouille à part.

Bouillabaisse cortenaise 🍲

C'est en fait une soupe de truites qui est née à Corte, en Corse, un jour de l'été 1872, année où la récolte de raisin fut plus qu'abondante. Cette bouillabaisse a une histoire.

« Lorsque les caves furent pleines, les gosiers désaltérés, les voisins et amis satisfaits, on ne sut que faire de ce vin qui ne trouvait plus place dans les caves. Alors on le versa dans la Restonica. Le résultat ne se fit pas attendre. Les truites s'en grisèrent. Mais leur plaisir fut bref, et la vie de ces ivrognesses s'arrêta là. Le ventre à l'air, elles glissèrent, indécentes, au fil de l'eau, il n'y avait qu'à tendre la main pour les ramasser. Les Cortenais eurent l'idée de les accommoder. L'*azziminu cortenese* (la bouillabaisse de Corte) était née. Il paraît que, depuis cette bacchanale truitesque, la chair de la truite à Corte est à nulle autre semblable... » (*La Bonne Cuisine corse,* Solar)

Préparation : 15 mn
Cuisson : 20 mn

6 truites (comptez 1 truite
  par personne)
3 verres de vin rouge
  corse
3 verres d'eau
20 cl d'huile d'olive
1 gros poivron rouge
2 grosses tomates
1 bouquet garni
Sel, poivre

1. Nettoyez les truites, lavez-les à l'eau courante et épongez-les.

2. Lavez le poivron, coupez-le en quatre, retirez les graines, puis coupez les quartiers en fines lamelles. Faites-les revenir dans un peu d'huile.

3. Ébouillantez les tomates pour les éplucher, coupez-les, enlevez les graines et mettez la pulpe avec le poivron.

4. Ajoutez l'eau, le vin et le bouquet garni. Portez à ébullition, salez, poivrez, et réduisez le feu. Faites cuire 10 minutes.

5. Pendant ce temps, faites revenir rapidement les truites dans le restant d'huile. Ajoutez-les au bouillon et laissez cuire encore 10 minutes.

6. Servez le bouillon, puis les truites, en prenant soin de ne pas les défaire.

Bouillabaisse de l'océan 🍲🍲

L'océan aussi a sa bouillabaisse. Si elle est cousine de la marseillaise, et même si l'élément de base en est le poisson, elle en diffère quelque peu.

Préparation : 30 mn
Cuisson : 40 mn

2,500 kg de poissons
(congre, merlans,
rougets, sardines,
1 petit homard)
1 l de moules
3 oignons
500 g de pommes de terre
2 blancs de poireaux
1 bouquet garni
2 gousses d'ail
1 branche de céleri
3 clous de girofle
4 tomates
20 cl d'huile de tournesol
50 g de beurre
Safran
2 l d'eau
25 cl de vin blanc sec
Tranches de pain
Sel, poivre

1. Nettoyez les moules, et rejetez impitoyablement celles qui sont ouvertes. Lavez les autres à l'eau froide autant de fois qu'il sera nécessaire pour que l'eau soit claire.

2. Mettez les moules dans une casserole avec le bouquet garni, portez à grand feu. Laissez cuire 7 à 8 minutes, le temps que les moules s'ouvrent sous l'effet de la chaleur.

3. Retirez les moules de leurs coquilles et réservez-les ainsi que le jus de cuisson.

4. Nettoyez tous les poissons, coupez les plus gros en morceaux.

5. Faites chauffer l'huile et le beurre et faites-y revenir les oignons épluchés et finement hachés, les blancs de poireaux émincés et les pommes de terre épluchées, lavées et coupées en tranches. Mettez aussi le céleri, les clous de girofle, les gousses d'ail épluchées et écrasées, la pulpe de tomate, le safran.

6. Couvrez avec l'eau et le vin. Salez, poivrez, ajoutez les poissons et laissez cuire à petits bouillons pendant 30 minutes dès la mise en route de l'ébullition.

7. Faites griller des tranches de pain. Versez le bouillon dessus. Servez à part, dans un plat de service, les pommes de terre et le poisson.

Bouillabaisse de sardines 🍲

Préparation : 30 mn
Cuisson : 40 mn

1 kg de sardines
1 oignon
1 poireau
2 tomates
2 gousses d'ail
1 tige de fenouil
1 branche de thym
750 g de pommes de terre
20 cl d'huile d'olive
2,5 l d'eau
Safran
1 cuillerée à soupe
de persil haché
Tranches de pain grillées
Sel, poivre

1. Videz les sardines, lavez-les, étêtez-les et épongez-les.

2. Épluchez l'oignon et le poireau, coupez-les en julienne.

3. Ébouillantez les tomates afin de mieux les éplucher et débarrassez-les de leurs graines.

4. Mettez l'huile à chauffer dans une casserole et faites-y revenir l'oignon et le poireau. Ajoutez la pulpe de tomate, l'ail épluché et écrasé, le fenouil, le thym. Mouillez avec l'eau. Salez, poivrez et ajoutez le safran.

5. Mettez les pommes de terre épluchées et coupées en rondelles. Faites partir l'ébullition et laissez cuire à couvert pendant 20 minutes.

6. Ce temps étant écoulé, ajoutez les sardines et prolongez la cuisson pendant 8 minutes. Saupoudrez les sardines de persil haché et prolongez la cuisson pendant 8 minutes.

7. Versez le bouillon sur des tranches de pain grillées.

Bourride 🍲🍲

Encore une soupe où chante tout le Midi.

Préparation : 10 mn
Cuisson : 35 mn

1,500 kg de baudroie
(ou loup ou merlan)
1 ou 2 têtes de poisson
10 cl de vin blanc sec
8 jaunes d'œufs
2 l d'eau
1 carotte
1 oignon
1 branche de thym
1 branche de persil
750 g de pommes de terre
(facultatif)
Croûtons grillés
Sel

1. Coupez la baudroie de part et d'autre de l'arête afin de dégager celle-ci. Épluchez la chair du poisson et coupez les filets en tronçons.

2. Préparez le fumet : dans une grande casserole, mettez l'arête de la baudroie, les têtes de poisson, la carotte et l'oignon épluchés, le thym, le persil, l'eau et le vin blanc. Salez, portez à ébullition et laissez cuire 20 minutes.

3. Pendant ce temps, préparez l'aïoli : épluchez les gousses d'ail. Mettez-les dans un mortier, écrasez-les, ajoutez 2 jaunes d'œufs et montez une mayonnaise très ferme avec les deux huiles mélangées (ou de l'huile

Bourride *(suite)*

Pour l'aïoli :

8 gousses d'ail
2 jaunes d'œufs
25 cl d'huile d'olive
 et de tournesol
1 petite cuillerée à café
 de moutarde (facultatif)

d'olive seule si vous préférez). Si vous avez des difficultés pour faire prendre la mayonnaise, mettez 1 petite cuillerée à café de moutarde avec les œufs.

4. Pochez les tronçons de baudroie dans le fumet de poisson pendant 10 minutes. Retirez-les avec l'écumoire et tenez-les au chaud dans une soupière.

5. Filtrez le fumet, utilisez-en un peu pour détendre les deux tiers de l'aïoli.

6. Mettez les 6 jaunes d'œufs dans une terrine, battez-les et versez le fumet dessus tout en remuant.

7. Remettez le tout dans la casserole sur feu doux et amenez jusqu'à ébullition sans cesser de remuer avec la spatule. Retirez immédiatement du feu à l'apparition du premier bouillon afin que la soupe ne tourne pas. Versez-la sur la baudroie.

8. Servez la bourride accompagnée de croûtons de pain grillés et aillés, avec l'aïoli. Vous pouvez aussi servir à part des pommes de terre entières cuites à la vapeur.

Soupe de brochet à la juive 🍲

Préparation : 15 mn
Cuisson : 1 h 10

3 poireaux
2 carottes
2 navets
4 ou 5 feuilles de chou
1 kg de brochet
2 l d'eau
50 g de beurre
Paprika
Sel

1. Nettoyez le brochet, coupez-le en morceaux.

2. Épluchez les légumes et coupez-les en julienne. Mettez-les dans une grande casserole avec l'eau et le sel. Faites cuire à petits bouillons pendant 1 heure.

3. Ajoutez les morceaux de brochet et laissez cuire encore 10 minutes.

4. Au moment de servir, ajoutez le paprika, puis le beurre. Mélangez bien.

Soupe de bulots 🍲

Préparation : 20 mn
Cuisson : 2 h 15

1 kg de bulots
3 poireaux
4 tomates
6 gousses d'ail
5 cuillerées à soupe
*   d'huile d'olive*
2 l d'eau
Sel, poivre

1. Lavez et brossez soigneusement les bulots.

2. Nettoyez et lavez les poireaux. Émincez-les.

3. Ébouillantez, épluchez et épépinez les tomates. Coupez-les en morceaux.

4. Faites chauffer l'huile dans une cocotte et mettez-y les poireaux à revenir. Ajoutez les tomates. Salez, poivrez, mouillez avec l'eau et faites partir la cuisson.

5. Dès que l'ébullition commence, jetez les bulots dans la cocotte et, à la reprise de l'ébullition, faites cuire pendant 2 heures en laissant bouillotter.

6. Une demi-heure avant la fin de la cuisson, ajoutez les gousses d'ail épluchées et écrasées. Servez bien chaud.

Chaudrée de Fouras 🍲

Préparation : 15 mn
Cuisson : 30 mn

1 kg de poissons (lieu,
*   maquereau, grondin,*
*   congre, sole)*
50 cl de vin blanc sec
1,5 l d'eau
100 g de beurre
1 gros oignon
1 branche de persil
1 branche de thym
Tranches de pain rassis
Sel, poivre

1. Nettoyez les poissons, coupez-les en morceaux.

2. Préparez un court-bouillon avec l'eau, le vin blanc, l'oignon émincé, le persil et le thym. Salez, poivrez et mettez 50 g de beurre. Amenez à ébullition et laissez cuire 15 minutes.

3. Ajoutez alors le poisson en commençant par ceux à chair ferme, comme le congre. Laissez cuire 15 minutes.

4. Lorsque la cuisson est terminée, retirez les morceaux de poisson, que vous servirez à part. Retirez du bouillon le thym et le persil, ajoutez le beurre restant et servez la soupe sur des tranches de pain rassis.

Potée toulousaine
(voir recette page 146)

Soupe au concombre
(voir recette page 150)

Soupe de congre 🍲

Préparation : 10 mn
Cuisson : 35 mn

1 kg de congre
1 gros oignon
1 tomate
1 bouquet garni
6 feuilles de menthe
*   poivrée*
2 l d'eau
Croûtons grillés
Sel, poivre

1. Épluchez l'oignon et les tomates, coupez-les en morceaux. Coupez aussi le congre en petits morceaux.

2. Faites un court-bouillon avec l'oignon, la tomate, le bouquet garni, les feuilles de menthe, couvrez d'eau, salez, poivrez. Laissez cuire 15 minutes.

3. Ajoutez les morceaux de congre et continuez la cuisson pendant encore 20 minutes.

4. Retirez le bouquet garni et passez la soupe au moulin à légumes. Servez avec des croûtons grillés.

Soupe de coquillages 🍲🍲

Préparation : 30 mn
Cuisson : 1 h

2 douzaines de praires
3 douzaines de palourdes
2 l de coques
3 pommes de terre
3 poireaux
1 branche de céleri
1 oignon
1 petit poivron rouge
100 g de beurre
2 feuilles de basilic
1 gousse d'ail
1 branche de thym
1 branche de persil
25 cl de vin blanc sec
1,75 l d'eau
Sel, poivre

1. Lavez soigneusement les coquillages et mettez-les dans une grande marmite avec le vin blanc, le thym, le persil. Faites-les pocher 5 minutes à feu vif.

2. Retirez les chairs des coquilles. Réservez le jus.

3. Épluchez les pommes de terre, les poireaux, l'oignon, le céleri. Lavez et coupez tous ces légumes en julienne. Faites fondre 50 g de beurre et faites-y revenir vivement ces légumes, à l'exception des pommes de terre, que vous mettez de côté.

4. Ajoutez l'eau, le sel, le poivre, les chairs des coquillages et leur jus de cuisson passé. Faites cuire pendant 30 minutes. Ajoutez les pommes de terre et continuez la cuisson pendant encore 30 minutes.

5. Détaillez en fine julienne le poivron. Hachez l'ail, le basilic. Retirez la soupe du feu et ajoutez le reste de beurre, le poivron, l'ail et le basilic. Servez chaud.

Soupe de coquilles Saint-Jacques 🍲🍲

Préparation : 15 mn
Cuisson : 30 mn

1 quinzaine de coquilles
   Saint-Jacques
3 échalotes
1 poireau
1 cuillerée à café
   de moutarde de Dijon
25 cl de crème fraîche
   épaisse
1 pincée de curry
25 cl de vin blanc sec
1,75 l d'eau
Croûtons grillés
Sel, poivre

1. Lavez les coquilles. Mettez-les dans un plat allant au four, la partie bombée sur le dessus. Déposez ce plat dans le four chaud pendant quelques minutes. Sous l'effet de la chaleur, les coquilles vont s'ouvrir.

2. Retirez la chair qui adhère à la partie plate des coquilles. Lavez soigneusement à l'eau froide les chairs et le corail, de façon à supprimer les grains de sable qui pourraient s'y trouver.

3. Dans une grande casserole, mettez l'eau, le vin, les échalotes épluchées, le poireau lavé et émincé, la moutarde, le curry, le sel, le poivre. Portez à ébullition et laissez cuire à gros bouillons pendant 10 minutes.

4. Ajoutez les coquilles Saint-Jacques, faites repartir l'ébullition et laissez cuire encore 7 à 8 minutes.

5. Retirez du feu. Réservez 4 coquilles avec leur corail. Coupez en lamelles les chairs des autres coquilles et mettez-les de côté.

6. Passez le contenu de la casserole au mixeur ou au moulin à légumes. Ajoutez la crème fraîche, remuez bien et remettez dans la casserole. Amenez tout doucement jusqu'à l'ébullition sans toutefois laisser bouillir.

7. Rectifiez l'assaisonnement si c'était nécessaire ; ajoutez les morceaux de coquilles réservées par ailleurs, versez dans la soupière et servez la soupe accompagnée de croûtons grillés.

Cotriade 🍲

C'est la bouillabaisse bretonne. Comme en Provence, elle varie d'un port à l'autre. Plus les poissons sont variés, meilleure est la soupe.

Préparation : 30 mn
Cuisson : 35 mn

1,500 kg de poissons
(grondin, maquereau,
daurade, baudroie,
congre, merlan)
La tête de 1 gros poisson
750 g de pommes de terre
2 oignons
1 bouquet garni
100 g de beurre
2 l d'eau
Tranches de pain rassis
Sel, poivre

1. Videz les poissons, coupez-les en morceaux.
2. Épluchez et émincez les oignons et faites-les revenir dans le beurre.
3. Ajoutez les pommes de terre épluchées et coupées en morceaux. Mouillez avec l'eau, ajoutez le bouquet garni, les têtes de poisson. Salez, poivrez et laissez cuire 20 minutes à partir du moment de l'ébullition.
4. Ajoutez les poissons en commençant par les poissons à chair ferme. Laissez cuire encore 10 minutes. Retirez les têtes.
5. Servez le bouillon sur des tranches de pain rassis ou grillé, et les pommes de terre et les poissons à part.

Soupe de crabes 🍲🍲

Préparation : 20 mn
Cuisson : 35 mn

1 douzaine de crabes
50 cl de cidre
1,5 l d'eau
2 oignons
1 gousse d'ail
1 bouquet garni
100 g de beurre
Croûtons frits
Sel, poivre

1. Épluchez les oignons, l'ail. Coupez l'oignon en rondelles.
2. Mettez dans une marmite le cidre, l'eau, l'oignon, l'ail et le bouquet garni. Salez, poivrez et portez à ébullition.
3. Plongez les crabes vivants dans ce court-bouillon pendant 2 minutes. Retirez-les avec une écumoire et mettez-les dans un mortier où vous les écraserez avec le pilon. Otez les chairs.
4. Remettez le tout, carapaces comprises, dans le bouillon et laissez cuire pendant 30 minutes.
5. Passez ce bouillon au chinois, ajoutez le beurre et versez la soupe dans la soupière sur des croûtons frits au beurre.

Soupe de grenouilles ●●●

Trempage éventuel :
12 h
Préparation : 10 mn
Cuisson : 1 h

*3 douzaines de cuisses
de grenouille (fraîches
ou congelées)
2 blancs de poireaux
3 carottes
2 navets
1 cuillerée à soupe
de cerfeuil haché
1 feuille de laurier
125 g de tapioca
2 l d'eau
50 g de beurre
Sel, poivre*

1. Si vous utilisez des cuisses de grenouille fraîches, écorchez-les, rognez la partie avant pour augmenter la grandeur des cuisses, qui seules seront conservées. Piquez-les ensuite sur des baguettes et plongez-les dans de l'eau froide 12 heures, cela pour blanchir les chairs ; l'eau sera changée plusieurs fois. Si vous utilisez des cuisses congelées, faites-les décongeler.

2. Lavez les cuisses et mettez-les dans une grande casserole avec tous les légumes lavés, épluchés et coupés en morceaux. Ajoutez le laurier, l'eau. Portez à ébullition, salez et faites cuire à petits bouillons pendant 40 minutes.

3. Le temps de cuisson étant écoulé, retirez le laurier, passez le potage au moulin à légumes, et remettez dans la casserole avec le tapioca. Faites repartir l'ébullition et laissez cuire 15 minutes.

4. Retirez du feu, poivrez et ajoutez le beurre, mélangez bien, versez dans la soupière et saupoudrez de cerfeuil haché.

Soupe d'huîtres ●●

Préparation : 30 mn
Cuisson : 45 mn

*2 douzaines d'huîtres
75 g de beurre
50 g de crème fraîche
1 verre de vin blanc sec
2 l d'eau
40 g de crème de riz
6 jaunes d'œufs
1 bouquet garni
1 oignon
La tête de 1 poisson
Sel, poivre*

1. Faites un fumet : mettez dans une casserole l'eau, le vin blanc, le bouquet garni, l'oignon coupé en quatre, la tête de poisson. Salez, portez à ébullition et laissez cuire 20 minutes.

2. Ouvrez les huîtres au-dessus d'une casserole de façon à recueillir leur eau. Retirez les huîtres de leurs coquilles et faites-les pocher tout doucement dans leur eau pendant 3 minutes. Égouttez-les.

3. Passez le fumet au chinois, ajoutez l'eau des huîtres, filtrée elle aussi.

4. Faites fondre le beurre dans une casserole, mettez la crème de riz, mélangez et mouillez

Soupe d'huîtres *(suite)*

avec le fumet. Amenez jusqu'à l'ébullition tout en tournant et laissez cuire ensuite 20 minutes à petit feu.

5. Mélangez les jaunes d'œufs et la crème fraîche. Versez le velouté dessus. Poivrez. Remettez dans la casserole et, à nouveau, amenez à ébullition. Retirez au premier bouillon et ajoutez les huîtres. Servez.

Soupe de langoustines 🍲

Préparation : 25 mn
Cuisson : 25 mn

750 g de petites langoustines
1 l de moules
1 oignon
1 bouquet garni
1 cuillerée à soupe de cerfeuil haché
2 jaunes d'œufs
20 cl de crème fraîche épaisse
25 cl de vin blanc sec
1,75 l d'eau
Sel, poivre

1. Triez les moules, jetez celles qui sont ouvertes. Nettoyez-les et lavez-les à grande eau. Mettez-les dans une casserole avec le vin blanc et faites-les ouvrir à feu vif. Retirez-les de leurs coquilles. Réservez le jus.

2. Faites bouillir l'eau et plongez les langoustines dans cette eau bouillante pendant 5 minutes.

3. Retirez-les avec l'écumoire. Gardez l'eau. Décortiquez les queues des langoustines. Réservez-les.

4. Mettez dans un mortier les têtes, les pinces et les pattes des langoustines. Écrasez-les avec le pilon et remettez cette purée grossière dans le bouillon avec l'oignon épluché et coupé en rondelles, le bouquet garni et le jus de cuisson des moules. Salez, poivrez, et faites cuire pendant 10 minutes.

5. Passez ce bouillon au chinois.

6. Délayez dans un bol les jaunes d'œufs avec la crème fraîche. Tout en tournant, versez le bouillon sur cette liaison. Remettez le tout sur le feu et, toujours en remuant, amenez à ébullition. Retirez du feu au premier bouillon.

7. Versez dans une soupière. Ajoutez les moules, les queues de langoustines. Saupoudrez avec le cerfeuil haché.

Soupe de maquereaux 🍲

Préparation : 15 mn
Cuisson : 15 mn

1,500 kg de maquereaux
25 cl de crème fleurette
2 jaunes d'œufs
3 cuillerées à soupe
de vinaigre
1 tige de fenouil
1 brin de thym
1 oignon
2 l d'eau
Croûtons grillés
Sel, poivre

1. Nettoyez les maquereaux et faites-les cuire pendant 10 minutes dans un court-bouillon frémissant dans lequel vous aurez mis le thym, la tige de fenouil, le sel et l'oignon émincé.

2. Retirez-les du bouillon, que vous passerez à l'étamine.

3. Retirez les têtes, la peau, l'arête centrale et les petites arêtes des maquereaux. Défaites les chairs.

4. Mettez dans un saladier les jaunes d'œufs et le vinaigre. Mélangez et, tout en tournant, versez dessus le bouillon, dans lequel vous aurez mis la crème fleurette.

5. Remettez sur le feu pour amener à ébullition. Retirez au premier bouillon. Poivrez, ajoutez les chairs des maquereaux, la tige de fenouil hachée, et servez sur des croûtons grillés.

Soupe de merlans 🍲

Préparation : 25 mn
Cuisson : 35 mn

4 merlans
1 l de moules
3 pommes de terre
2 oignons
1 bouquet garni
25 cl de vin blanc sec
50 g de beurre
40 g de crème fraîche
épaisse
40 g de crème de riz
2 l d'eau
Sel, poivre

1. Nettoyez les moules, lavez-les dans de l'eau froide jusqu'à ce que celle-ci soit parfaitement claire. Puis mettez-les dans une casserole avec le vin blanc. Faites chauffer à feu vif pour que les moules s'ouvrent. Retirez-les de leurs coquilles. Réservez le jus.

2. Épluchez et hachez les oignons. Épluchez et coupez les pommes de terre.

3. Dans une grande casserole, mettez les pommes de terre, l'oignon, le bouquet garni, le jus de cuisson des moules, les merlans vidés, le sel, le poivre, l'eau. Portez à ébullition et laissez cuire 30 minutes.

4. Retirez le bouquet garni et les poissons, dont vous enlevez l'arête centrale et les têtes. Remettez les chairs dans la soupe et passez-la au moulin à légumes.

Soupe de merlans (suite)

5. Délayez la crème de riz avec un peu de soupe et versez dans une casserole. Remettez sur le feu et amenez à ébullition sans cesser de remuer avec une spatule. L'ébullition étant atteinte, laissez cuire 5 minutes.
6. Ajoutez la crème fraîche, le beurre. Mélangez bien, versez dans la soupière et ajoutez les moules.

Soupe à la morue 🍲

Trempage : 12 h
Préparation : 15 mn
Cuisson : 1 h 10

500 g de filet de morue
*   fraîche salée*
La tête de 1 gros poisson
*   (congre ou cabillaud)*
3 pommes de terre
2 tomates
2 oignons
3 gousses d'ail
2 branches de persil
1 bouquet garni
25 cl de vin blanc sec
2 l d'eau
10 cl d'huile d'olive
Poivre

1. La veille, lavez la morue, puis mettez-la dans une passoire en plastique et déposez celle-ci dans une large et haute terrine, afin que le sel qui se dépose au fond du récipient ne soit pas en contact avec la chair du poisson, laquelle se ressalerait. Couvrez d'eau froide et laissez couler, si possible, un filet d'eau froide toute la nuit, ou changez l'eau au moins trois ou quatre fois avant l'emploi.

2. Le lendemain, mettez dans une casserole l'eau. Ajoutez-y la tête de poisson, le bouquet garni, 1 oignon épluché et coupé en rondelles. Ne salez pas. Portez à ébullition et laissez cuire à petits bouillons pendant 30 minutes.

3. Faites chauffer l'huile dans une marmite et faites revenir tout doucement le deuxième oignon haché et les gousses d'ail écrasées. Ajoutez les tomates pelées et épépinées, puis les pommes de terre épluchées, lavées et coupées en morceaux. Mouillez avec le court-bouillon que vous aurez passé au chinois. Ajoutez le vin blanc sec, le persil, le poivre, et laissez cuire 20 minutes.

4. Pendant ce temps, épongez la morue et coupez-la en petits morceaux. Ajoutez-la à la soupe et continuez la cuisson pendant 15 minutes. Vérifiez l'assaisonnement et ne salez qu'à ce moment-là, si c'est nécessaire ; mais en général, même dessalée, la chair de la morue conserve encore suffisamment de sel pour éviter qu'on en ajoute.

Soupe de moules 🍲🍲

Préparation : 20 mn
Cuisson : 20 mn

3 l de moules
25 cl de vin blanc sec
1,75 l d'eau
1 bouquet garni
1 oignon
1 gousse d'ail
5 jaunes d'œufs
15 cl de crème fraîche
épaisse
1 cuillerée à café
de crème de riz
Sel, poivre

1. Rejetez toutes les moules qui sont ouvertes. Grattez les autres, lavez-les à l'eau froide jusqu'à ce que l'eau devienne claire, puis mettez-les dans une grande marmite.

2. Ajoutez le vin blanc, le bouquet garni, l'oignon émincé et la gousse d'ail épluchée. Faites cuire à feu vif pendant 10 minutes. Retirez les moules de leurs coquilles. Réservez-les.

3. Ajoutez l'eau au jus de cuisson des moules et portez à ébullition. Laissez cuire 5 minutes. Retirez le bouquet garni et passez le bouillon au tamis.

4. Mélangez dans une terrine les jaunes d'œufs, la crème de riz et la crème fraîche. Versez tout doucement le bouillon dessus. Remettez dans la casserole et amenez jusqu'à ébullition sans cesser de remuer.

5. Retirez du feu au premier bouillon. Salez, poivrez, ajoutez les moules, servez aussitôt.

Soupe de moules au lait 🍲

Préparation : 25 mn
Cuisson : 40 mn

2 l de moules
1 tranche de poitrine
de porc fumée de 100 g
2 l de lait
50 g de beurre
1 oignon
3 pommes de terre
1 verre d'eau
1 bouquet garni
Croûtons grillés
Sel, poivre

1. Grattez et lavez soigneusement les moules après avoir rejeté celles qui sont ouvertes.

2. Mettez-les dans une casserole avec 1 verre d'eau et faites-les s'ouvrir à feu vif. Laissez cuire 10 minutes. Retirez-les de leurs coquilles et réservez le jus.

3. Coupez la poitrine de porc en dés et faites-les revenir dans le beurre avec l'oignon épluché et haché.

4. Ajoutez les pommes de terre coupées en morceaux et mouillez avec le jus de cuisson des moules.

5. Ajoutez le bouquet garni et laissez cuire pendant 30 minutes à feu doux et à couvert. Salez, poivrez.

6. Par ailleurs, faites bouillir le lait.

7. Lorsque la cuisson des pommes de terre sera à point, ajoutez le lait bouillant puis les moules. Servez sur des croûtons grillés ou sur des crackers suédois.

Soupe de palourdes 🍲

Préparation : 15 mn
Cuisson : 30 mn

4 douzaines de palourdes
1 oignon
1 bouquet garni
50 g de beurre
1 cuillerée à soupe
  de crème de riz
25 cl de crème fraîche
4 jaunes d'œufs
25 cl de vin blanc sec
1,75 l d'eau
3 branches de persil
  haché
Sel, poivre

1. Lavez les palourdes et mettez-les dans une casserole avec le vin blanc et le bouquet garni. Faites-les s'ouvrir à feu vif pendant 10 minutes. Retirez-les de leurs coquilles. Passez à l'étamine le jus de cuisson.

2. Épluchez et émincez finement l'oignon et faites-le revenir dans le beurre. Saupoudrez de crème de riz, ajoutez l'eau, le jus des palourdes, salez légèrement. Amenez à ébullition sans cesser de tourner, puis laissez bouillotter 15 minutes à feu moyen.

3. Délayez les jaunes d'œufs avec la crème fraîche, puis versez le bouillon dessus. Mélangez bien et remettez dans la casserole avec les palourdes. Amenez à nouveau jusqu'à l'ébullition, puis retirez aussitôt du feu. Poivrez et ajoutez le persil haché.

Soupe de poissons à la provençale 🍲

Préparation : 30 mn
Cuisson : 40 mn

*2 kg de poissons de roche
(rascasses, girelles,
rougets, grondins,
pageots, etc.)
1 gros oignon
3 grosses tomates
2 branches de thym
2 gousses d'ail
25 cl d'huile d'olive
1/2 cuillerée à café
de safran
2 l d'eau
Croûtons grillés
Rouille (p. 33)
Sel, poivre*

1. Videz les poissons, gardez les têtes et épongez-les.

2. Émincez l'oignon et faites-le suer dans l'huile chaude, dans une grande casserole. Ajoutez les poissons, le thym, les gousses d'ail épluchées et faites-les fondre à feu vif tout en remuant sans arrêt avec la spatule pour les empêcher d'accrocher le fond de la casserole.

3. Lorsqu'ils seront bien défaits (il vous faudra compter plus ou moins 10 minutes selon la grosseur), ajoutez les tomates, que vous aurez épluchées et épépinées. Mouillez avec l'eau, salez et faites cuire à petite ébullition pendant 20 minutes.

4. Retirez le thym et passez la soupe au moulin à légumes. Remettez-la sur le feu, ajoutez le safran et le poivre. Amenez jusqu'à ébullition et retirez du feu.

5. Servez cette soupe de poissons avec des croûtons grillés et aillés. Accompagnez de rouille.

Soupe de poulpe 🍲🍲

Préparation : 25 mn
Cuisson : 1 h 45

*1,200 kg de poulpe
1 oignon
2 grosses tomates
1 branche de thym
2 cuillerées à soupe
de persil haché
10 cl d'huile d'olive
2 l d'eau
Tranches de pain grillées
Sel, poivre*

1. Videz le poulpe, retirez la bouche et les yeux et enlevez la peau grisâtre qui recouvre le mollusque.

2. Lavez-le longuement à l'eau froide et battez-le pour l'attendrir : pour cela, enfermez-le dans un torchon et battez-le avec un rouleau à pâtisserie. Coupez-le en petits tronçons.

3. Ébouillantez les tomates, épluchez-les et retirez les graines. Épluchez et émincez l'oignon.

4. Dans une grande casserole, mettez l'huile à chauffer et faites-y revenir l'oignon. Ajoutez les morceaux de poulpe ainsi que la pulpe des tomates. Laissez cuire à petit feu pendant 10 minutes, puis mouillez avec l'eau. Salez, poivrez, ajoutez le thym, le persil haché.

5. Faites partir la cuisson et, lorsque l'ébullition est atteinte, réduisez le feu et laissez cuire à petits bouillons pendant 1 h 30.

6. Lorsque la cuisson est terminée, retirez le thym. Mettez dans le fond de la soupière des tranches de pain grillées et versez la soupe dessus.

Soupe de poutine à la niçoise 🍲

Très fragiles, ces alevins qui se pêchent en Méditerranée ne sont pas transportables. Cette soupe ne peut donc être faite qu'au bord de la Méditerranée.

Préparation : 10 mn
Cuisson : 25 mn

500 g de poutine
1 oignon
1 petite branche de céleri
2 gousses d'ail
1 grosse tomate
4 cuillerées à soupe
  d'huile d'olive
1 pincée de safran
2 l d'eau
Sel, poivre

1. Épluchez l'oignon, les gousses d'ail, ainsi que la tomate que vous aurez ébouillantée et dont vous retirerez les graines.

2. Mettez à chauffer l'huile dans une grande casserole et faites-y revenir doucement l'oignon épluché et émincé. Ajoutez l'ail écrasé puis la pulpe de tomate. Mouillez avec l'eau, salez, ajoutez la branche de céleri coupée en morceaux et faites cuire pendant 15 minutes.

3. Passez alors la soupe au tamis.

4. Remettez sur le feu, laissez reprendre l'ébullition et, à ce moment-là seulement, ajoutez la poutine. Laissez cuire 7 à 8 minutes à peine.

5. Retirez du feu. Ajoutez le safran, puis le poivre. Servez la soupe.

Ttorro ☙

Le ttorro est une soupe basque, et elle est au port de Ciboure ce que la bouillabaisse est à Marseille, même si, comme cette dernière, on la rencontre dans bien des endroits de la côte.

Préparation : 30 mn
Cuisson : 1 h

500 g de grondin
500 g de congre
500 g de lotte
1 rascasse
500 g de tête de merlu
1 l de moules
8 langoustines
2 oignons
1 gousse d'ail
1 bouquet garni
2 tomates
1 cuillerée à café
de piment doux
40 cl d'huile d'olive
50 cl de vin blanc sec
1 cuillerée à soupe
de persil haché
2,5 l d'eau
Farine
Croûtons frottés à l'ail
et frits dans l'huile
Sel, poivre

1. Nettoyez les moules après avoir rejeté celles qui sont ouvertes. Lavez-les à grande eau jusqu'à ce que celle-ci soit claire.

2. Nettoyez le poisson, coupez les têtes que vous mettez dans une casserole avec les oignons émincés, le bouquet garni, l'ail épluché et 4 cuillerées à soupe d'huile d'olive.

3. Faites se défaire les chairs à feu vif, pendant 5 minutes, en remuant avec une spatule. Mouillez alors avec le vin blanc, amenez à ébullition et faites cuire le temps nécessaire pour que le vin réduise de moitié.

4. Ajoutez l'eau et les tomates que vous aurez épluchées et égrenées. Mettez le piment, le sel ; faites reprendre l'ébullition et comptez 40 minutes de cuisson mijotée à partir de ce moment.

5. Salez et poivrez le poisson que vous aurez coupé en tronçons. Farinez-le légèrement et faites-le dorer dans l'huile chaude. Égouttez-le et disposez-le dans une grande casserole.

6. Passez le bouillon à l'étamine et versez-le sur les poissons frits. Portez le tout à l'ébullition ; laissez cuire 5 minutes.

7. Ajoutez les moules dans leurs coques et les langoustines crues. Faites reprendre l'ébullition et laissez cuire 5 minutes.

8. Versez le ttorro dans la soupière et accompagnez-le de croûtons de pain frottés à l'ail, frits dans l'huile et saupoudrés de persil haché.

LES SOUPES SAUVAGES

Les vacances se prêtent aux longues promenades dans la nature. Profitez-en pour cueillir des herbes sauvages, qui feront des soupes délicieuses et inattendues. Identifiez bien la plante avant de la cueillir.

Soupe à la benoîte 🍲

Benoîte commune : cette herbe vivace a des petites fleurs jaunes et des feuilles ailées. Sa racine au parfum de girofle se récolte à l'automne, tandis que les tiges se cueillent au printemps. On la trouve dans les taillis sous futaie.

Préparation : 10 mn
Cuisson : 25 mn

500 g de feuilles
de benoîte
40 g de beurre
1 cuillerée à soupe
de farine
1,5 l de bouillon
Sel, poivre

1. Conservez, avec les feuilles, les tiges très fines et tendres des benoîtes. Mettez-les à cuire dans le bouillon pendant 20 minutes.

2. Retirez-les avec une écumoire et hachez-les.

3. Mettez ces herbes à étuver dans le beurre, saupoudrez de farine et délayez en versant peu à peu l'eau de cuisson. Tournez cette soupe avec une cuillère en bois jusqu'à l'ébullition.

4. Salez, poivrez, réduisez le feu et laissez cuire encore 5 minutes.

Soupe à la berce

Grande berce : cette herbe géante des prés et des fossés humides est très répandue en Europe, où, pour la forme de ses feuilles, on l'appelle « patte d'oie ». Ses feuilles alternes à pétiole embrassent la tige par une gaine bien dessinée. Ne pas la confondre avec les ombellifères toxiques.

Préparation : 5 mn
Cuisson : 30 mn

300 g de feuilles de berce
2 pommes de terre
150 g de poitrine de porc fumée
50 g de beurre
1,5 l de bouillon
Crème aigre
Sel, poivre

1. Ciselez les feuilles de berce et faites-les fondre dans une casserole avec le beurre.

2. Ajoutez la poitrine de porc fumée taillée en dés, les pommes de terre épluchées, lavées et coupées en petits morceaux. Salez, poivrez, mouillez avec le bouillon et laissez cuire pendant 30 minutes.

3. Servez chaud avec un peu de crème aigre.

Soupe à la chicorée

Chicorée : ses fleurs bleues et ses feuilles étroites sur leurs longs rameaux bordent les chemins et les prés dans toute la France. Elle est connue et employée depuis l'Antiquité. Cueillez-la dès février mais de préférence loin des lieux de pollution. Il n'y a aucun risque de confusion avec une autre plante.

Préparation : 10 mn
Cuisson : 50 mn

300 g de feuilles de chicorée
2 jaunes d'œufs
1,75 l d'eau
30 g de beurre
Noix muscade
Tranches de pain grillées
Sel, poivre

1. Lavez soigneusement les feuilles de chicorée. Plongez-les dans de l'eau bouillante salée pendant 10 minutes. Égouttez-les et hachez-les grossièrement.

2. Faites fondre le beurre dans une casserole et mettez la chicorée à étuver tout doucement. Salez, poivrez, ajoutez 1 pointe de muscade râpée, mouillez avec l'eau. Amenez à ébullition, puis laissez bouillotter pendant 40 minutes.

3. Mettez les jaunes d'œufs dans la soupière, versez la soupe dessus. Mélangez. Servez la soupe sur des tranches de pain grillées.

Soupe corse de Nany 🍲

Coquelicot : tout le monde connaît le coquelicot. Ce sont les feuilles que l'on utilise, mais en petites quantités car elles donnent de l'amertume. On les cueille au printemps.

Laiteron maraîcher : la tige dressée et ramifiée supporte de grandes feuilles en dents de scie. Les fruits ont des aigrettes et les fleurs sont en bouquets. On le trouve dans les chemins, les jardins et les vignobles.

Terre-crépie : c'est la plante principale de la soupe. Ses feuilles longues et dentelées se présentent en rosace. Une rosace présente plusieurs tiges fines et longues terminées chacune par une aigrette.

Fenouil : la tige est fine et ramifiée, les fleurs jaunes sont formées en ombelles. Cette plante a un fort parfum anisé. Tout s'utilise : les tiges, les fleurs, les graines. Elle pousse dans les pays méditerranéens, mais pas en haute montagne.

Patience : il y en a deux sortes. Celle que l'on utilise le plus est la rouge, dont les feuilles ressemblent aux feuilles de bettes. On la trouve en moyenne montagne.

Trempage : 12 h
Préparation : 20 mn
Cuisson : 1 h 50

Les feuilles de 1 branche
de coquelicot
7 ou 8 feuilles
de patience
2 poireaux sauvages
4 carottes sauvages
12 feuilles de menthe
7 ou 8 feuilles de laiteron
maraîcher
Les feuilles de 5 plants
de terre-crépie
1 poignée de jeunes
pousses de fenouil
4 gousses d'ail
3 feuilles de bettes
2 oignons frais
150 g de haricots cocos
roses
1 petit chou vert
100 g de riz
La couenne de 1 jambon
corse ou 300 g de
poitrine de porc fumée
1 cuillerée à soupe
de coulis de tomate
3 cuillerées à soupe
d'huile
2,75 l d'eau
Sel

1. La veille, mettez les haricots à tremper.

2. Le lendemain, lavez toutes les herbes, ainsi que les poireaux, les carottes sauvages, les oignons et les pousses de fenouil. Coupez-les en julienne.

3. Faites-les revenir dans l'huile à peine chaude. Quand ils commencent à fondre, ajoutez 2 verres d'eau. Laissez cuire 5 minutes, puis couvrez avec 2,5 l d'eau.

4. A ce moment-là, ajoutez les haricots, le chou et les feuilles de bettes émincées, l'ail, la couenne du jambon (ou la poitrine de porc fumée), l'ail, le coulis. Salez, portez à ébullition, puis réduisez le feu et laissez bouillotter pendant 1 h 30.

5. Ajoutez le riz. Laissez cuire encore 20 minutes. Rectifiez l'assaisonnement au moment de servir.

Soupe aux herbes sauvages

Ortie : ses feuilles en forme de cœur sous lesquelles se cachent les poils urticants sont facilement reconnaissables. Pour la cueillir, portez des gants puis versez dessus un filet d'eau chaude. L'ortie a un goût très délicat.

Oseille : ses feuilles allongées en fer de lance poussent en touffes pouvant atteindre 30 cm à 1 m de haut. L'acidité des feuilles est faible au printemps. Elle augmente ensuite.

Moutarde : cette plante élancée et fine qui peut mesurer de 30 cm à 1,50 m est appréciée depuis l'Antiquité. Ses fleurs ont un beau jaune citron. Ses feuilles ovales très peu dentées sont plus sombres dessous que dessus.

Pissenlit : très populaire, le pissenlit a des feuilles découpées en dents de lion et ne peut être confondu avec aucune autre plante. Les rosettes s'offrent comme des corolles ouvertes dans les terrains vagues. Cueillez-le dès avril.

Préparation : 20 mn
Cuisson : 50 mn

100 g de pousses d'orties
100 g d'oseille
100 g de feuilles
*   de moutarde*
100 g de pissenlit
500 g de pommes de terre
1 oignon
2 cuillerées à soupe
*   de crème fraîche*
1,75 l d'eau
Sel

1. Lavez toutes les feuilles de la cueillette (mettez des gants pour les orties). Épluchez l'oignon, les pommes de terre, lavez-les et coupez-les en morceaux.

2. Mettez tous ces légumes dans une marmite, couvrez d'eau, salez et faites partir l'ébullition. Réduisez le feu et laissez cuire tranquillement pendant 50 minutes.

3. Passez la soupe au moulin à légumes. Rectifiez l'assaisonnement si nécessaire, ajoutez la crème fraîche, mélangez et servez bien chaud.

Ttorro
(voir recette page 172)

Soupe aux orties
(voir recette page 178)

Soupe à la livèche ⬤

Livèche : appelée aussi « ache des montagnes », elle a des feuilles divisées d'un beau vert foncé et brillant qui évoquent le goût du céleri en branche, d'où son autre nom de « céleri perpétuel ». C'est une très grande plante de 1 à 2 m de haut qui ne peut être confondue avec une autre.

Préparation : 10 mn
Cuisson : 50 mn

*250 g de feuilles de
    livèche
500 g de pommes de terre
1/2 citron
2 cuillerées à soupe de
    crème fraîche épaisse
1,75 l d'eau
Gruyère râpé
Sel*

1. Lavez les feuilles de livèche. Épluchez, lavez et coupez les pommes de terre.

2. Mettez la livèche et les pommes de terre dans une grande casserole. Couvrez d'eau, salez et faites partir l'ébullition. Réduisez le feu et faites cuire 45 minutes.

3. Passez la soupe au moulin à légumes, ajoutez le jus du citron, la crème fraîche, rectifiez l'assaisonnement et servez bien chaud accompagné de gruyère râpé.

Soupe à la menthe ⬤

Menthe : les variétés sont nombreuses, mais les plus utilisées sont la menthe pouliot (dite « herbe de la Saint-Laurent », dont la tige est rouge et les feuilles crépues) et la menthe poivrée au parfum délicat (appelée « menthe anglaise », aux petites feuilles touffues et dentées). Il suffit de froisser une feuille entre les doigts pour reconnaître la menthe.

Préparation : 10 mn
Cuisson : 25 mn

*100 g de feuilles
    de menthe
1 cuillerée à soupe
    de persil haché
3 œufs
150 g d'olives vertes
    dénoyautées
1,5 l de bouillon*

1. Faites durcir les œufs pendant 9 minutes. Écalez-les. Hachez-les.

2. Ciselez les feuilles de menthe. Jetez-les ainsi que le persil dans le bouillon que vous aurez mis à chauffer. Laissez bouillotter tout doucement durant 15 minutes et, pendant ce temps-là, hachez les olives. Mettez aussi les œufs hachés dans la soupière.

3. Le temps de cuisson achevé, filtrez le bouillon et versez-le dans la soupière.

Soupe aux orties 🍲

Préparation : 10 mn
Cuisson : 45 mn

*Ortie : voir Soupe aux
  herbes sauvages, p. 176*
*500 g de jeunes pousses
  d'orties*
30 g de beurre
500 g de pommes de terre
*3 cuillerées à soupe
  de crème fraîche
  épaisse*
*1 pointe de noix muscade
  râpée*
1,5 l de bouillon
Sel

1. Lavez les orties. Plongez-les dans de l'eau bouillante salée et laissez bouillonner pendant 10 minutes. Égouttez-les.

2. Mettez le beurre dans une grande casserole, ajoutez-y les orties, puis les pommes de terre épluchées, lavées et coupées en morceaux.

3. Couvrez avec le bouillon, faites partir l'ébullition, puis réduisez le feu et laissez cuire tout doucement pendant 30 minutes.

4. Passez la soupe au moulin à légumes. Ajoutez 1 pointe de muscade râpée et la crème fraîche. Rectifiez l'assaisonnement si nécessaire et présentez la soupière.

Soupe aux pâquerettes 🍲

Pâquerettes : les fleurs de cette petite plante vivace de 5 à 20 cm sont reconnaissables entre toutes. Blanches ou roses à centre jaune, elles sont délicieuses au printemps.

Préparation : 10 mn
Cuisson : 40 mn

*10 poignées
  de pâquerettes*
500 g de pommes de terre
*2 cuillerées à soupe
  de basilic haché*
*1 cuillerée à soupe
  de ciboulette*
50 g de beurre
2 l d'eau
Sel

1. Faites bouillir l'eau avec le sel et plongez-y les pâquerettes. Ajoutez les pommes de terre épluchées, lavées et coupées en morceaux et laissez bouillotter pendant 40 minutes. Réservez quelques pâquerettes que vous ajouterez dans la soupière au moment de servir.

2. Passez la soupe au moulin à légumes. Ajoutez le beurre, la ciboulette et le basilic. Mélangez. Rectifiez l'assaisonnement si c'est nécessaire.

Soupe à la petite oseille 🍲

Petite oseille : elle pousse en touffes basses. On l'identifie facilement par ses feuilles rondes un peu pointues à leur extrémité.

Préparation : 10 mn
Cuisson : 35 mn

600 g de feuilles de petite oseille
400 g de pommes de terre
2 cuillerées à soupe de crème fraîche
40 g de beurre
75 g de riz
1 l d'eau
Sel

1. Lavez les feuilles de petite oseille. Épluchez, lavez et coupez les pommes de terre.

2. Faites chauffer le beurre dans une casserole. Mettez-y à fondre les feuilles de petite oseille à feu doux. Ajoutez les pommes de terre. Mouillez avec l'eau, salez. A partir de l'ébullition, comptez 30 minutes de cuisson.

3. Pendant ce temps, faites cuire le riz. Comptez 15 à 20 minutes. Égouttez-le.

4. Passez la soupe au moulin à légumes. Ajoutez le riz et la crème fraîche. Mélangez vivement et servez la soupe bien chaude.

Soupe aux pousses d'asperges 🍲

Pousses d'asperges : la plante, ligneuse, a des branches comme des aiguilles et des feuilles étroites et courtes. La griffe de la racine émet des jeunes pousses d'un blanc nacré teinté de vert très recherchées des amateurs. Ne pas confondre avec l'asperge maritime ni avec l'asperge blanche.

Préparation : 10 mn
Cuisson : 20 mn

600 g de pousses d'asperges
2 branches de persil haché
1,5 l d'eau
3 cuillerées à soupe de crème fraîche
60 g de fécule
60 g de beurre
Croûtons frits
Sel

1. Nettoyez et lavez les pousses.

2. Faites bouillir de l'eau. Salez. Plongez-y les pousses et faites-les cuire à feu doux pendant 8 minutes environ. Retirez-les de l'eau avec l'écumoire. Réservez.

3. Faites fondre le beurre. Ajoutez la fécule. Mélangez rapidement.

4. Mouillez avec l'eau de cuisson des asperges. Faites partir l'ébullition tout en tournant. Réduisez le feu. Laissez cuire 10 minutes.

5. Ajoutez la crème fraîche. Mélangez vivement. Mettez les asperges. Laissez chauffer 2 minutes.

6. Retirez du feu. Parsemez de persil haché et servez avec des croûtons frits.

Soupe à la salicorne 🍲

Salicorne : haricot vert de mer, récolté du 15 mai au 15 juillet. La tige articulée et ramifiée est verte ou d'un vague rouge.

Préparation : 20 mn
Cuisson : 40 mn

300 g de salicorne
2 tomates
2 carottes
1 petit oignon
150 g de petites crevettes
  cuites
150 g de moules
1 cuillerée à soupe
  de persil haché
3 cuillerées à soupe
  d'huile de tournesol
1,75 l d'eau
Sel

1. Nettoyez, lavez les moules dans une casserole et ouvrez-les à feu vif. Otez-les de leurs coquilles. Réservez, ainsi que le jus obtenu.

2. Lavez, nettoyez la salicorne, plongez-la dans de l'eau bouillante non salée pendant 5 minutes.

3. Épluchez les carottes, l'oignon ; lavez et émincez très finement ces légumes. Faites chauffer l'huile dans une casserole, mettez-y les légumes que vous faites tout doucement revenir.

4. Ajoutez la pulpe des tomates débarrassées de la peau et des graines. Laissez fondre 10 minutes, écrasez grossièrement à la fourchette.

5. Mouillez avec l'eau, ajoutez la salicorne, amenez à ébullition, réduisez le feu et laissez bouillotter pendant 15 minutes.

6. Ajoutez alors les moules et leur jus, les crevettes épluchées. Poursuivez la cuisson pendant 5 minutes. Rectifiez l'assaisonnement si nécessaire.

7. Mettez en soupière et parsemez de persil haché.

LES SOUPES AU MICRO-ONDES

Quoique tournée par goût vers les cuissons traditionnelles, j'admets bien volontiers que les micro-ondes ont leurs inconditionnels. Certes, le principe d'une bonne soupe est de mijoter longtemps et doucement. Cependant, si l'on est pressé, et à condition de proscrire les soupes nécessitant des opérations longues ou compliquées qui annuleraient le gain de temps, les micro-ondes conviennent.

Rappelons que certains matériaux sont incompatibles avec les micro-ondes. Seuls sont efficaces ceux dits « transparents » : verre trempé, verre à feu, matières plastiques spécialement conçues pour cet usage ainsi que porcelaine à feu, mais celle-ci augmente légèrement le temps de cuisson.

Bon nombre d'autres soupes que celles présentées ci-dessous peuvent être faites au micro-ondes.

Crème de champignons ☕

Préparation : 10 mn
Cuisson : 12 mn

250 g de champignons
1 échalote
25 cl de béchamel
(p. 33)
75 cl de bouillon
30 g de beurre
1 verre de vin blanc
1 jaune d'œuf (facultatif)
Sel

1. Otez l'extrémité du pied terreux des champignons. Lavez et émincez finement les champignons.

2. Épluchez et émincez l'échalote.

3. Mettez le beurre dans un récipient, ajoutez-lui les champignons et l'échalote. Couvrez et faites cuire pendant 4 minutes.

4. Pendant ce temps, faites la béchamel.

5. Mixez les champignons. Remettez-les dans le récipient avec la béchamel, le bouillon et le vin blanc. Salez et remettez au micro-ondes pendant 8 minutes.

6. Vous pouvez faire une liaison avec 1 jaune d'œuf au moment de servir si vous le souhaitez.

Crème de tomate 🍲

Préparation : 10 mn
Cuisson : 14 mn

1 kg de tomates
1 oignon
1 gousse d'ail
3 cuillerées à soupe
   de crème fraîche
   épaisse
2 cuillerées à soupe
   d'huile d'olive
50 cl d'eau
1 cuillerée à soupe
   de ciboulette ciselée
Sel

1. Ébouillantez les tomates. Épluchez-les et ôtez les graines. Coupez la pulpe en morceaux.

2. Épluchez et émincez l'oignon. Épluchez l'ail.

3. Mettez l'huile ainsi que les légumes dans un récipient. Ajoutez l'eau. Salez, couvrez et mettez au micro-ondes pendant 10 minutes.

4. Passez la soupe au mixeur.

5. Adjoignez la crème fraîche. Mélangez, rectifiez l'assaisonnement si nécessaire, et remettez au micro-ondes pendant 4 minutes.

6. Présentez la crème de tomate dans la soupière, après avoir jeté en pluie la ciboulette ciselée.

Potage de courgettes 🍲

Préparation : 10 mn
Cuisson : 14 mn

1 kg de courgettes
1 pomme de terre
1 oignon
1 bouquet de persil
1 cuillerée à soupe
   de persil haché
3 cuillerées à soupe
   de crème fraîche
75 cl de bouillon
Tranches de pain grillées
Sel

1. Lavez les courgettes et ôtez les extrémités. Coupez-les grossièrement et mettez les morceaux dans un récipient.

2. Ajoutez-y l'oignon épluché et émincé, le bouquet de persil, la pomme de terre épluchée et lavée.

3. Ajoutez le bouillon, salez et mettez au micro-ondes pendant 12 minutes.

4. Passez la soupe au moulin à légumes. Ajoutez la crème fraîche. Remettez 2 minutes au micro-ondes.

5. Avant de servir, parsemez de persil haché et servez sur des tranches de pain grillées.

Potage de cresson ☙

Préparation : 10 mn
Cuisson : 17 mn

1 botte de cresson
2 pommes de terre
1 échalote
30 g de beurre
3 cuillerées à soupe
de crème fraîche
1 l de bouillon
Sel

1. Lavez soigneusement le cresson.

2. Épluchez, lavez et coupez les pommes de terre en morceaux. Épluchez et émincez l'échalote.

3. Mettez le beurre dans un récipient avec le cresson, les pommes de terre et l'échalote. Couvrez et faites étuver au micro-ondes pendant 5 minutes.

4. Ajoutez le bouillon, salez et remettez au micro-ondes pendant 12 minutes.

5. Passez au mixeur, ajoutez la crème fraîche et servez.

Potage aux fanes de radis ☙

Préparation : 10 mn
Cuisson : 13 mn

1 botte de fanes de radis
bien vertes
2 pommes de terre
1 oignon
30 g de beurre
2 cuillerées à soupe
de crème fraîche
épaisse
1 l de bouillon
Sel

1. Lavez très soigneusement les fanes de radis, qui sont toujours très terreuses.

2. Épluchez, lavez et coupez les pommes de terre en morceaux.

3. Mettez le beurre dans un récipient avec les fanes, les pommes de terre, l'oignon épluché et émincé. Couvrez et mettez à étuver au micro-ondes pendant 5 minutes.

4. Ajoutez le bouillon, salez, poursuivez la cuisson pendant 8 minutes.

5. Ajoutez la crème fraîche au moment de servir. Mélangez intimement.

Potage saveur ⬷

Préparation : 15 mn
Cuisson : 14 mn

2 carottes
1 branche de céleri
2 pommes de terre
1 poireau
1 tomate
1 oignon
1 gousse d'ail
1,75 l de bouillon
2 cuillerées à soupe
  + 1 rasade d'huile
  d'olive
Fromage râpé
Sel

1. Épluchez, lavez et coupez tous les légumes, en n'oubliant pas d'épépiner la tomate.

2. Mettez l'huile d'olive dans un récipient avec tous les légumes. Couvrez et faites étuver au micro-ondes pendant 6 minutes.

3. Ajoutez le bouillon, salez et remettez au micro-ondes pendant 8 minutes.

4. Passez le potage et versez 1 bonne rasade d'huile d'olive au moment de servir. Présentez le fromage râpé à part.

Soupe épicée aux moules ⬷

Préparation : 30 mn
Cuisson : 8 mn

1 l de moules
3 petites courgettes
1 carotte
1 bouquet de persil
1 échalote
10 cl de vin blanc sec
75 cl de bouillon (ou
  de fumet [voir
  Bourride, p. 158])
2 cuillerées à café
  de curry
2 cuillerées à soupe
  de crème fraîche
  épaisse
Croûtons de pain aillés
Sel

1. Nettoyez et lavez les moules. Mettez-les dans un récipient avec le bouquet de persil, l'échalote épluchée et émincée, le vin blanc sec. Couvrez et mettez au micro-ondes pendant 3 minutes.

2. Décoquillez les moules. Remettez les chairs dans le récipient avec le jus, le bouillon, les courgettes non épluchées et coupées en dés, ainsi que la carotte épluchée et coupée mêmement. Salez, ajoutez le curry. Remettez au micro-ondes pendant 5 minutes.

3. Ajoutez la crème fraîche au moment de servir. Mélangez bien et servez avec des croûtons aillés à part.

Les soupes d'ailleurs

« Cette soupe était une espèce de puchero
où le poisson remplaçait la viande et où le Provençal
jetait des pois chiches, de petits morceaux de lard
coupés carrément, et des gousses de piment rouge,
concessions du mangeur de bouillabaisse
aux mangeurs d'olla podrida. »
VICTOR HUGO, *L'Homme qui rit*

Soupes du bout du monde ou des pays voisins, soupes douces, épicées ou aigres, certaines ne sont pas sans analogie avec nos soupes régionales, ou celles d'autres pays. Et pour cause : les frontières ont souvent été déplacées au cours de l'histoire et, par ailleurs, ces frontières ne sont souvent, ou n'ont été, que des barrières administratives ou politiques, que les spécialités culinaires franchissent allégrement sans se soucier de ceci ou de cela. Comme pour le reste de la gastronomie, les soupes reflètent aussi la culture, la production et les coutumes de leur pays.

Découvrir un pays au cours d'un voyage passe aussi par sa cuisine et ses traditions. Ainsi, en Allemagne, les soupes sont-elles paysannes ; le chou, le porc, et même la bière y dominent. En Angleterre, le potage à la tortue a la faveur des Anglais, qui apprécient, par ailleurs, le potage au mouton *(mutton broth)* et au poulet *(chicken broth)*. En Russie et en Pologne, le climat plutôt froid nécessite des soupes reconstituantes et nutritives, et elles le sont ! Les bortschs, le stschy, le chlodnik sont parmi les soupes les plus connues.

En Espagne, le feu du soleil se retrouve dans l'olla podrida, tandis qu'en Chine les soupes, tout en subtilité et en finesse, se composent de riz, de soja, de nids d'hirondelles, d'abalones.

Aux États-Unis, la cuisine a de multiples visages puisqu'elle est le reflet non pas d'une seule cuisine, mais des cuisines des peuples qui y ont émigré dans les siècles passés.

Les produits exotiques, ou tout simplement différents des nôtres, voyagent sans difficulté aucune. Aussi, faire une soupe aux abalones, un chlodnik, un gaspacho est un plaisir à portée de casserole !

Nous vous emmenons faire le tour du monde en précisant toutefois que, pour certaines d'entre ces soupes, il est difficile de définir d'une manière catégorique leur lieu de naissance.

Potage de mahmmas 🍲

Trempage : 12 h
Préparation : 20 mn
Cuisson : 2 h 45

*100 g de gros grains
de mahmmas (grains
de couscous)
100 g de pois chiches
250 g de fèves
250 g de petits pois
écossés
3 carottes
3 navets
1 grosse tomate
2 oignons
1 cuillerée à soupe
de persil haché
1 branche de céleri
1 cuillerée à café
de piment
10 cl d'huile d'arachide
2,5 l d'eau
2 citrons (verts,
de préférence)
Sel, poivre*

1. La veille, mettez les pois chiches à tremper dans de l'eau froide.

2. Le lendemain, plongez la tomate dans l'eau bouillante, épluchez-la, épépinez-la.

3. Épluchez les oignons, hachez-les et faites-les revenir dans l'huile chaude. Ajoutez les pois chiches, les fèves écossées et débarrassées de leur seconde peau, les petits pois, les carottes, les navets et le céleri épluchés et coupés en julienne, ainsi que la pulpe de la tomate et le persil. Ajoutez aussi le piment haché après l'avoir fait tremper dans de l'eau froide s'il est sec.

4. Couvrez d'eau. Portez à ébullition. Salez, poivrez et laissez cuire 2 h 30 après avoir réduit le feu.

5. Quinze minutes avant la fin de la cuisson, ajoutez les mahmmas. Terminez la cuisson et, au moment de servir, versez le jus de 1 citron. Servez la soupe accompagnée de rondelles de citron présentées à part dans une soucoupe.

Soupe à la semoule 🍲

Préparation : 15 mn
Cuisson : 35 mn

*125 g de grains
de couscous gros grain
2 grosses tomates
5 gousses d'ail
5 cuillerées à soupe
de graines de carvi*

1. Épluchez les tomates, retirez les graines.

2. Épluchez l'ail et écrasez-le dans un mortier.

3. Faites chauffer l'huile dans une grande casserole et ajoutez-y la pulpe de tomate que vous ferez fondre à feu doux, puis l'ail, le carvi, et enfin le piment. Mélangez bien, couvrez d'eau, salez, poivrez, amenez à

Soupe à la semoule *(suite)*

1 cuillerée à café de
   poudre de piment rouge
1 cuillerée à soupe
   de feuilles de menthe
   hachées
1 cuillerée à soupe
   de câpres
10 cl d'huile d'olive
le jus de 1 citron
   (en saumure,
   si possible)
2 l d'eau
Sel, poivre

ébullition et, lorsque celle-ci est atteinte, réduisez le feu et laissez cuire tout doucement pendant 20 minutes.

4. Ajoutez les câpres et la semoule. Faites repartir l'ébullition sans cesser de tourner. Réduisez le feu, ajoutez les feuilles de menthe hachées et laissez cuire 15 minutes.

5. Au moment de servir, ajoutez le jus de citron.

Soupe au sésame

Trempage : 1 h
Préparation : 35 mn
Cuisson : 25 mn

200 g de riz grain rond
100 g de sésame
150 g d'arachides
2 l d'eau
Sel

1. Faites tremper le riz pendant 1 heure dans de l'eau froide.

2. Égouttez-le. Mettez-le dans un mortier et pilez-le.

3. Lavez le sésame, retirez la peau des grains et pilez-le.

4. Otez la coquille des arachides. Faites-les griller rapidement et frottez-les entre vos mains pour retirer la peau. Pilez les arachides et mélangez-y le riz et le sésame.

5. Faites sécher cette pâte pendant 15 minutes dans un four moyennement chaud.

6. Prélevez 6 cuillerées à soupe de cette pâte (le reste peut se conserver quelques jours au frais dans un bocal bien fermé). Délayez-la avec un peu d'eau, puis ajoutez le reste d'eau.

7. Versez dans une casserole et portez le tout à ébullition sans cesser de tourner. Laissez cuire jusqu'à ce que cette bouillie épaississe légèrement.

8. Salez et servez aussitôt.

Cherbah 🍲

Préparation : 15 mn
Cuisson : 1 h 40

6 tomates
3 gros oignons
1 vingtaine de feuilles
  de menthe
500 g de collier
  de mouton
100 g d'abricots secs
2 piments rouges
75 g de vermicelles fins
2 l d'eau
50 g de saindoux
Sel, poivre

1. Ébouillantez les tomates pour les éplucher. Retirez les graines et coupez la pulpe.

2. Faites fondre le saindoux dans une marmite et faites revenir tout doucement la pulpe de tomate ainsi que les oignons épluchés et émincés. Ajoutez la menthe et les piments.

3. Salez, poivrez et ajoutez l'eau, puis la viande et les abricots. Laissez partir l'ébullition et faites cuire à petit feu pendant 1 h 30.

4. Au bout de ce temps, retirez la viande de la soupe, coupez-la en morceaux et remettez-la dans le bouillon. Ajoutez alors les vermicelles et laissez-les cuire 10 minutes après la reprise de l'ébullition. Servez aussitôt.

Schorba 🍲

Trempage : 12 h
Préparation : 20 mn
Cuisson : 2 h 40

500 g de collier
  de mouton
75 g de vermicelles
2 oignons
2 tomates
100 g de pois chiches
5 cuillerées à soupe
  d'huile d'olive
1 cuillerée à café
  de coriandre fraîche
2,5 l d'eau
Coriandre en poudre
Sel

1. La veille, mettez les pois chiches à tremper dans de l'eau froide.

2. Le lendemain, épluchez les oignons, hachez-les. Ébouillantez les tomates, puis épluchez-les, épépinez-les.

3. Faites chauffer l'huile dans une grande casserole et faites revenir l'oignon et le mouton coupé en petits morceaux.

4. Ajoutez la pulpe de tomate, saupoudrez de coriandre. Mouillez avec l'eau, ajoutez les pois chiches égouttés. Salez et amenez à ébullition. Réduisez le feu et laissez cuire à couvert 2 h 30.

5. Dix minutes avant la fin de la cuisson, ajoutez les vermicelles et la coriandre ciselée. Servez.

Biersuppe 🍲

Préparation : 10 mn
Cuisson : 20 mn

2 l de bière
8 jaunes d'œufs
200 g de raisins secs
500 g de sucre
Le zeste de 1 citron
1 pincée de cannelle
3 cuillerées à soupe
 de lait froid
1 l d'eau
Pain frit
Sel

1. Faites gonfler les raisins secs dans 1 l d'eau chaude pendant 3 ou 4 minutes. Égouttez-les.

2. Mettez le sucre dans une casserole avec le zeste de citron, la cannelle ; ajoutez la bière. Mélangez et faites bouillir. Salez.

3. Délayez dans une terrine les jaunes d'œufs avec le lait.

4. Versez la bière sur les jaunes d'œufs tout en remuant. Remettez dans la casserole et, tout en tournant avec une cuillère en bois, amenez près de l'ébullition. Retirez aussitôt du feu.

5. Passez au chinois et laissez refroidir à température ambiante avant de mettre au réfrigérateur. Avant de servir, ajoutez les raisins secs ainsi que des dés de pain frits.

Potage à la betterave 🍲

Préparation : 15 mn
 + 10 mn
Cuisson : 2 h 15 + 1 h 10

1 grosse betterave crue
 (ou 2 moyennes)
 de 600 g environ
600 g de pommes de terre
1,5 l de consommé
 de volaille (p. 47)
100 g de beurre
Croûtons frits
Sel, poivre

1. Nettoyez la betterave et faites-la cuire à la vapeur en autocuiseur pendant 20 minutes.

2. Épluchez les pommes de terre, coupez-les en morceaux et mettez-les à cuire dans de l'eau bouillante salée pendant 30 minutes. Égouttez-les, passez-les au moulin à légumes.

3. Égouttez la betterave, épluchez-la, coupez-la en rondelles.

4. Faites fondre 50 g de beurre, ajoutez les rondelles de betterave et laissez cuire 15 minutes à l'étuvée. Passez au tamis et ajoutez la purée de pommes de terre.

5. Délayez avec le consommé. Salez, poivrez, versez dans une casserole, et amenez à ébullition tout en remuant. Laissez cuire à gros bouillons pendant 5 minutes et versez dans la soupière. Ajoutez le reste de beurre.

6. Servez à part des croûtons frits au beurre.

Rahm-Suppe 🍲

Préparation : 20 mn
  + 10 mn
Cuisson : 4 h + 50 mn

75 g de beurre
60 g de farine
1 oignon piqué de 2 clous
  de girofle
3 branches de persil
1 pointe de noix muscade
  râpée
1 l de consommé blanc
  (voir p. 45)
1 l de lait
1 verre à liqueur
  de kummel
10 cl de crème aigre
Pain frit
Sel, poivre

1. Faites un roux avec le beurre et la farine (voir Sauce Béchamel, p. 33), et mouillez progressivement avec le consommé et le lait. Amenez jusqu'à l'ébullition sans cesser de tourner.

2. Lorsque celle-ci commence, ajoutez l'oignon, les branches de persil, le sel, le poivre, la muscade et le kummel. Laissez cuire pendant 40 minutes.

3. Retirez du feu, passez à l'étamine, ajoutez la crème aigre. Mélangez bien et servez le potage accompagné de petits dés de pain frits au beurre.

Chicken broth ⬤⬤

Préparation : 15 mn
Cuisson : 2 h

1 poulet
1 bouquet garni
1 oignon piqué de 1 clou
  de girofle
1 branche de céleri
100 g de riz grain rond
2 l de bouillon simple
  de brunoise
Sel, poivre

1. Mettez le poulet dans une marmite, mouillez avec le bouillon, amenez à ébullition, écumez, salez, poivrez.

2. Ajoutez le bouquet garni, l'oignon épluché, le céleri coupé en morceaux, la brunoise et laissez cuire 1 h 30 à couvert à petite ébullition.

3. Au bout de ce temps, écrasez grossièrement les légumes avec le presse-purée et ajoutez le riz, que vous aurez lavé. Laissez cuire pendant 30 minutes.

4. Retirez le poulet du bouillon. Enlevez la peau, puis ôtez les chairs, que vous coupez en lamelles.

5. Remettez dans la marmite. Donnez un tour de bouillon et servez.

Mulligatawny ⬤⬤

Préparation : 15 mn
Cuisson : 1 h 45

1 poule
1 gros oignon
1 branche de persil
1 branche de céleri
2 cuillerées à café
  de curry
2 clous de girofle
40 g de beurre
40 g de crème de riz

1. Découpez la poule en morceaux.

2. Émincez l'oignon.

3. Faites chauffer le beurre dans une cocotte et faites-y revenir le poulet et l'oignon jusqu'à ce qu'ils soient bien dorés. Attention à ce que le beurre ne noircisse pas.

4. Saupoudrez de crème de riz et mouillez avec l'eau. Salez, poivrez et ajoutez les clous de girofle réduits en miettes, le céleri coupé en morceaux, la branche de persil, puis le curry. Laissez cuire 1 h 30.

Mulligatawny (suite)

25 cl de crème fraîche
  épaisse
125 g de riz
Le jus de 1 citron
2,5 l d'eau
Sel, poivre

5. Retirez les morceaux de poule et coupez les chairs en petits morceaux. Réservez-les.

6. Battez la crème fraîche, ajoutez le jus de citron et versez dessus le potage passé au tamis.

7. Remettez dans la casserole et amenez à ébullition. Versez dans la soupière et ajoutez les morceaux de poule.

8. Servez à part le riz cuit à l'indienne.

Mutton broth

Préparation : 15 mn
Cuisson : 2 h 50

500 g de poitrine
  de mouton
100 g d'orge
2 carottes
2 navets
2 blancs de poireaux
1 branche de céleri
1 oignon
50 g de beurre
2,5 l d'eau
Persil haché
Sel, poivre

1. Mettez l'orge et la viande dans de l'eau froide. Salez. Portez à ébullition et faites cuire à petits bouillons pendant 1 heure.

2. Passez le bouillon, que vous conservez.

3. Préparez une brunoise : épluchez, lavez les légumes et coupez-les en petits dés.

4. Faites fondre le beurre et ajoutez cette brunoise que vous cuirez à l'étuvée pendant 20 minutes.

5. Lorsque la brunoise est cuite, mouillez avec le bouillon et ajoutez la viande, ainsi que l'orge cuite. Laissez cuire à petits bouillons pendant 1 h 30.

6. Retirez la viande, coupez-la en petits morceaux et remettez-la dans la soupe. Rectifiez l'assaisonnement.

7. Versez dans la soupière et saupoudrez de persil haché.

Oxtail 🍲

Préparation : 20 mn
+ 15 mn
Cuisson : 4 h + 3 h 10

*1,500 kg de queue
de bœuf
500 g de jambonneau
4 carottes
2 oignons
2 blancs de poireaux
2 navets
4 clous de girofle
1 bouquet garni
1 branche de céleri
4 grains de poivre
3 l de consommé blanc
simple (p. 45)
1 verre à liqueur de xérès
1 blanc d'œuf
Ketchup*

1. Mettez dans une grande casserole la queue de bœuf, le jambonneau et le consommé. Amenez à ébullition, écumez et ajoutez les carottes, les oignons, les navets épluchés et lavés, les blancs de poireaux et le céleri coupés en petits dés. Mettez aussi le bouquet garni, les grains de poivre, les clous de girofle, le xérès. Ne salez pas, vous vérifierez l'assaisonnement en fin de cuisson. Laissez cuire pendant 3 heures.

2. Retirez la queue de bœuf, coupez-la en tronçons, coupez le jambon en petits morceaux.

3. Enlevez le bouquet garni et passez le bouillon au chinois. Clarifiez-le avec le blanc d'œuf, puis ajoutez la queue de bœuf, le jambon ainsi que les légumes.

4. Vous pouvez servir cette soupe accompagnée de ketchup.

Soupe au poulet et au maïs 🍲

Préparation : 15 mn
Cuisson : 1 h 05

*1 petit poulet
6 épis de maïs
1 oignon
1 branche de céleri
6 œufs durs
1 bouquet garni
(persil et laurier)
25 cl de crème fraîche
épaisse
5 grains de poivre
2,5 l d'eau
1 cuillerée à café
de persil haché
Sel*

1. Coupez le poulet en morceaux et mettez-le dans une marmite avec le bouquet garni, le céleri coupé en morceaux et l'oignon épluché et émincé, et les grains de poivre. Couvrez d'eau, amenez à ébullition, salez et écumez. Réduisez le feu et faites cuire pendant 1 heure.

2. Par ailleurs, blanchissez les épis de maïs dans de l'eau bouillante salée pendant 15 minutes. Égouttez-les et égrenez-les.

3. Lorsque le poulet est cuit, retirez-le du bouillon, enlevez la peau et les os et coupez les chairs en petits morceaux.

4. Passez le bouillon à l'étamine, ajoutez les morceaux de poulet, les grains de maïs, portez à ébullition et laissez cuire pendant 5 minutes.

5. Arrêtez la cuisson et ajoutez les œufs durs et le persil hachés.

6. Versez dans la soupière et servez la soupe accompagnée de la crème fraîche battue.

Soupe à la tortue ♨♨♨

C'est une soupe de tradition en Angleterre, qui est réellement confectionnée avec de la tortue, terrestre ou aquatique. Elle a séduit bon nombre d'écrivains, cette étrange soupe qui était, nous apprend André Castelot dans *L'Histoire à table,* l'aliment des Perses. Alexandre Dumas a parlé de cette soupe à la tortue au cérémonial et à la préparation quelque peu barbares :

« Il faut lui couper la tête d'un seul coup avec un couteau fraîchement repassé ; il faut alors la coucher sur le dos, de ce qui reste de son cou laisser égoutter le sang pendant dix à douze heures ; il faut alors prendre le défaut de la carapace en faisant glisser un couteau entre les jointures des deux coquilles, mais sans couper les ailerons ni les nageoires de derrière ; quand le plastron est détaché, il faut enlever toutes les graisses et tous les boyaux qui doivent être réservés, détacher ensuite les ailerons et les nageoires de la carapace en même temps que les chairs et les os qui lui sont adhérents ; ces chairs ont quelque analogie avec la noix de veau ; aussi portent-elles le même nom. Il faut les séparer des os, soit pour les servir plus tard comme pièce de relevé ou d'entrée, soit pour les joindre aux os et les faire concourir à la préparation du bouillon de tortue. Quand le plastron et la carapace sont dégarnis, les diviser en carrés, les faire dégorger, les cuire à grande eau, faire également blanchir les quatre nageoires et le cou, pour les gratter, et les faire dégorger pendant une heure.

« Quand les carrés de la carapace et du plastron sont tendres au toucher et que les grosses arêtes et les écailles s'en détachent facilement, les égoutter, en supprimer les ordures, mettre les parties molles dans une terrine et les couvrir avec une partie de leur cuisson passée.

« Coupez les os crus de la tortue, mettez-les dans une marmite avec les viandes et les nageoires, mouillez-les largement avec la cuisson du plastron, du bouillon ordinaire et quelques bouteilles de vin blanc ; faites bouillir le liquide en l'écumant et retirez la marmite sur le côté du feu, pour la garnir et la soigner à l'égal du pot-au-feu. Quand les nageoires et les ailerons sont cuits, les égoutter, les désosser, les déposer dans une terrine et les couvrir également avec du fond ; dégraisser le restant, le passer et le laisser déposer. »

Il est difficile de se procurer en France ces reptiles chéloniens si prisés autrefois. Chez certains traiteurs ou dans les épiceries fines, on peut trouver de la chair de tortue fraîche ou salée ou encore la soupe toute prête vendue en boîte.

Soupe à la tortue *(suite)*

Préparation : 30 mn
Cuisson : 5 h 15

1 kg de viande de tortue
500 g de bœuf
1 bouquet garni
5 ou 6 grains
de coriandre
5 grains de poivre
10 cl de xérès
50 g de beurre
40 g d'arrow-root
4 l d'eau
Sel, poivre

Pour le milk punch :

20 cl d'eau
150 g de sucre
Les zestes de 2 citrons
non traités
Les zestes de 2 oranges
non traitées
10 cl de kirsch
30 cl de rhum
15 cl de lait
3 oranges
3 citrons

1. Dans une grande marmite, mettez la chair de tortue, celle de bœuf, le bouquet garni, les grains de coriandre et ceux de poivre enfermés dans un nouet. Couvrez avec l'eau et amenez à ébullition. Écumez, salez et laissez cuire dans l'eau frémissante pendant 5 heures au moins.

2. Pendant ce temps, préparez le milk punch : faites un sirop de sucre à 17° (utilisez pour cela le pèse-sirop). Faites infuser dans ce sirop pendant 10 minutes les zestes de citron et d'orange. (Si ces fruits étaient traités, il est nécessaire de les laver et de les brosser soigneusement.) Passez-le et laissez-le refroidir. Ajoutez alors le jus des agrumes, le lait, le kirsch et le rhum. Mélangez le tout et laissez refroidir pendant que la soupe termine sa cuisson.

3. Passez le bouillon au chinois et découpez les viandes en petits cubes.

4. Faites fondre le beurre, ajoutez l'arrow-root et le xérès, et mouillez avec le bouillon. Amenez jusqu'à l'ébullition tout en tournant et laissez bouillotter 10 minutes. Poivrez, rectifiez l'assaisonnement.

5. Remettez la viande dans le potage, laissez prendre un bouillon et versez dans la soupière. Servez le potage avec le milk punch à part.

Soupe à congo ☕

Trempage : 12 h
Préparation : 15 mn
Cuisson : 2 h 45

600 g de bœuf salé
150 g de poitrine de porc
fumée
200 g de giraumon
2 patates douces
3 bananes vertes
1 carotte
1 navet
1 poireau
200 g de chou
1 oignon piqué
de 4 clous de girofle
1 bouquet garni
3 gousses d'ail
1 petit piment
3 l d'eau
Sel

1. La veille, faites dessaler le bœuf coupé en morceaux dans de l'eau froide.

2. Le lendemain, mettez-le dans une grande marmite avec la poitrine fumée, le bouquet garni, l'oignon, l'ail et le piment. Couvrez d'eau et portez à ébullition. Réduisez le feu et laissez bouillotter pendant 2 heures. Écumez.

3. Épluchez, lavez et coupez en morceaux tous les légumes. Épluchez et coupez les bananes. Mettez de côté le giraumon et les patates douces. Excepté ces derniers, mettez les légumes dans la soupe. Salez et faites cuire pendant 20 minutes.

4. Ajoutez alors les patates douces. Faites reprendre une petite ébullition pendant 5 minutes, puis ajoutez enfin le giraumon. Continuez la cuisson pendant 10 minutes après la reprise de l'ébullition et retirez du feu.

5. Enlevez la viande, effeuillez-la dans la soupière et servez la soupe à congo bien chaude accompagnée d'une sauce relevée.

Soupe de giraumon ☕

Le giraumon est une sorte de grosse courge dont la chair ferme a un goût légèrement musqué.

Préparation : 20 mn
Cuisson : 30 mn

500 g de giraumon
2 oignons
3 gousses d'ail
2 poignées d'épinards

1. Épluchez le giraumon et ôtez les graines. Coupez-le en morceaux et faites-les cuire à la vapeur pendant 15 minutes environ.

2. Épluchez et hachez finement les oignons.

3. Faites à peine chauffer l'huile et mettez-y les oignons à fondre tout doucement. Ajou-

Soupe de giraumon *(suite)*

1 petit piment
1 pointe de noix muscade
  râpée
75 g de riz long grain
3 cuillerées à soupe
  d'huile d'arachide
1,5 l de bouillon

tez l'ail écrasé, le piment, le riz. Mouillez avec le bouillon. Amenez à ébullition.

4. Réduisez le feu. Ajoutez les épinards lavés et ciselés, et faites bouillotter pendant 15 minutes.

5. Jetez dans la soupe le giraumon puis la pointe de muscade râpée et laissez cuire encore 5 minutes.

6. Retirez le piment au moment de servir.

Soupe aux gombos

Le gombo, ou corne grecque, dont la consistance est un peu gluante, a la propriété de donner du liant.

Préparation : 15 mn
Cuisson : 20 mn

500 g de gombos
2 tomates
1 branche de céleri
1 gros oignon
2 gousses d'ail
1 branche de thym
300 g de crevettes cuites
  décortiquées
3 cuillerées à soupe
  d'huile d'arachide
1/2 cuillerée à café
  de quatre-épices
1,5 l de bouillon
Sel, poivre

1. Épluchez, émincez l'oignon. Épluchez l'ail, les tomates plongées auparavant dans l'eau bouillante ; épépinez-les.

2. Faites doucement chauffer l'huile et mettez-y à revenir l'oignon, le céleri lavé et coupé en morceaux, les gombos coupés en rondelles. Laissez fondre 10 minutes puis ajoutez le thym, les tomates, le quatre-épices. Salez, poivrez et mouillez avec le bouillon.

3. Cinq minutes avant la fin de la cuisson, ajoutez les crevettes. Servez sans attendre.

Soupe d'igname oua-oua ☙

Préparation : 15 mn
Cuisson : 45 mn

500 g d'igname
3 tomates vertes
1 poivron vert
1 oignon
2 gousses d'ail
1 cuillerée à café
  de quatre-épices
25 cl de lait de coco
1 l de bouillon
3 cuillerées à soupe
  d'huile d'arachide
Sel, poivre

1. Épluchez l'igname, coupez-le en morceaux et faites-le cuire dans de l'eau bouillante salée pendant 10 minutes.

2. Pendant ce temps, épluchez l'oignon, l'ail, le poivron et les tomates vertes, que vous épépinez. Émincez tous ces légumes.

3. Faites chauffer l'huile dans un faitout. Faites-y revenir l'oignon et le poivron ensemble, puis ajoutez la pulpe de tomate, l'ail. Salez, poivrez, ajoutez le quatre-épices, mouillez avec le bouillon.

4. Amenez à ébullition, puis réduisez le feu. Ajoutez à ce moment-là l'igname. Comptez 35 minutes de cuisson frémissante.

5. Passez la soupe au moulin à légumes. Ajoutez le lait de noix de coco. Rectifiez l'assaisonnement, qui doit être très relevé. Servez sans attendre.

Soupe de pisquettes ☙

Les pisquettes sont de petits alevins que l'on prépare en potage, en acras, en omelette ou en friture. Ils ressemblent à la poutine chère au midi de la France.

Le lime, ou citron-galet, de couleur vert-jaune, est plus petit que le citron vert. Il est plus parfumé et très juteux.

Préparation : 20 mn
Cuisson : 30 mn

500 g de pisquettes
3 blancs de poireaux
1 papaye
1/2 lime
2 gousses d'ail
1 bouquet garni
1 petit piment
3 cuillerées à soupe
  d'huile d'arachide

1. Lavez les blancs de poireaux. Émincez-les très finement. Réservez.

2. Épluchez l'ail. Épluchez la papaye, videz-la de ses graines et coupez-la grossièrement.

3. Mettez le bouillon à chauffer dans une grande casserole avec le bouquet garni.

4. Ajoutez la papaye râpée, le jus du lime. Laissez bouillotter pendant 10 minutes.

5. Faites chauffer l'huile dans une marmite, ajoutez les blancs de poireaux que vous

125 g de riz longs grains
1,5 l de bouillon
Sel, poivre

faites légèrement colorer, puis mettez le riz, l'ail et le piment écrasé. Mouillez avec le bouillon, salez, poivrez. Faites reprendre l'ébullition et comptez 10 minutes de cuisson.

6. Ajoutez enfin les pisquettes et comptez encore 10 minutes de cuisson. Servez bien chaud.

AUTRICHE

Soupe viennoise à la crème aigre

Préparation : 10 mn
Cuisson : 25 mn

60 g de beurre
60 g de farine
1 oignon piqué de 2 clous de girofle
1 bouquet garni
1 pointe de cumin
1 pointe de noix muscade râpée
3 jaunes d'œufs
10 cl de crème aigre
1,5 l de bouillon
Croûtons frits au beurre
Sel

1. Faites un roux blond avec le beurre et la farine (voir Sauce Béchamel, p. 33).

2. Mouillez avec le bouillon chaud et amenez à ébullition tout en tournant. Réduisez alors le feu et ajoutez l'oignon piqué de ses clous de girofle, le bouquet garni, la muscade, le cumin. Salez et laissez doucement bouillotter pendant 20 minutes.

3. Ajoutez les jaunes d'œufs, fouettez vigoureusement, puis mettez la crème aigre.

4. Servez cette soupe accompagnée de petits croûtons frits dans le beurre.

Hochepot 🍲

Préparation : 30 mn
Cuisson : 3 h

600 g de plat de côtes
  de bœuf
300 g d'épaule
  de mouton
300 g de poitrine
  de mouton
150 g de queue de porc
1 oreille de cochon
1 pied de cochon
200 g de lard
6 chipolatas
750 g de pommes de terre
Le cœur de 1 chou
3 blancs de poireaux
1 gros oignon
3 carottes
75 g de saindoux
Croûtons grillés
4 l d'eau
Sel

1. Faites fondre le saindoux dans une grande marmite et faites revenir les viandes de mouton, la queue de porc, l'oreille et le lard.

2. Mouillez avec l'eau et ajoutez le plat de côtes et le pied de cochon. Écumez autant de fois qu'il sera nécessaire. Salez et laissez cuire à petits bouillons 2 heures.

3. Épluchez tous les légumes. Laissez les pommes de terre entières et réservez-les. Émincez le chou, les blancs de poireaux, les carottes et l'oignon ; ajoutez-les aux viandes et continuez la cuisson 1 heure.

4. Trente minutes avant la fin de la cuisson, ajoutez les pommes de terre et les chipolatas.

5. Servez le bouillon passé à l'étamine sur des croûtons grillés, et servez à part les viandes, les saucisses et les légumes.

Potage flamand 🍲

Préparation : 20 mn
Cuisson : 1 h

750 g de choux
  de Bruxelles
500 g de pommes de terre
2 l de lait
2 jaunes d'œufs
Sel, poivre

1. Nettoyez les petits choux, lavez-les et blanchissez-les pendant 5 minutes dans de l'eau bouillante.

2. Égouttez-les et remettez-les à cuire dans de l'eau bouillante salée pendant 20 minutes. Égouttez-les.

3. Épluchez les pommes de terre, lavez-les, coupez-les en rondelles et mettez-les à cuire dans de l'eau salée. Comptez 30 minutes de cuisson après le début de l'ébullition. Égouttez-les.

4. Passez les choux et les pommes de terre à l'étamine. Délayez avec le lait bouillant. Remettez sur le feu. Poivrez et ajoutez les jaunes d'œufs battus.

Soupe flamande ⊕

Préparation : 10 mn
Cuisson : 20 mn

250 g de pommes
*   reinettes*
75 g de sucre
75 g de farine
2 l de lait
4 jaunes d'œufs
1 paquet de sucre vanillé
1 verre d'eau
1 pincée de sel

1. Épluchez les pommes et coupez-les en fines lamelles. Mettez-les à étuver dans une casserole avec 1 verre d'eau pendant 15 minutes.

2. Mettez la farine dans une terrine et délayez-la avec 1 verre de lait froid. Salez.

3. Ajoutez les pommes et la farine délayée dans le lait sucré. Versez le tout dans une casserole. Portez à ébullition en remuant sans cesse. Laissez bouillir seulement 2 minutes.

4. Mettez les jaunes d'œufs dans la soupière et ajoutez le sucre vanillé. Mélangez et versez la soupe bouillante dessus.

BRÉSIL

Canja ⊕

Préparation : 10 mn
Cuisson : 1 h 20

Le cou, le gésier, le foie,
*   le dos de 1 poulet (les*
*   parties nobles – blancs,*
*   ailes, cuisses – seront*
*   cuisinées à part et*
*   servies avec des pâtes*
*   ou du riz)*
2 oignons
2 tomates
125 g de riz
1 œuf
2,5 l d'eau
Sel

1. Épluchez, émincez très finement les oignons.

2. Ébouillantez les tomates, épluchez-les et épépinez-les. Coupez la pulpe en morceaux, écrasez-la avec une fourchette.

3. Mettez les légumes dans une marmite en compagnie du foie, du gésier, du cou, et du dos de poulet coupé en morceaux. Couvrez avec l'eau, salez. Faites partir la cuisson.

4. Réduisez le feu dès que l'ébullition est atteinte et laissez mijoter tranquillement pendant 1 heure.

5. Retirez les morceaux de poulet, ajoutez le riz et faites cuire pendant 20 minutes à petits bouillons.

6. Retirez la soupe du feu et ajoutez l'œuf entier et battu. Mélangez bien avant de servir.

Sopa de ervilhas 🥘

Préparation : 10 mn
Cuisson : 1 h

350 g de pois cassés
3 saucisses
4 œufs
150 g d'olives vertes
  dénoyautées
4 cuillerées à soupe
  d'huile
1,5 l de bouillon
Tranches de pain grillées
Sel, poivre

1. Couvrez les pois cassés avec le bouillon, salez, portez à ébullition, puis faites cuire doucement jusqu'à ce que les pois soient réduits en purée. Comptez 45 minutes environ.

2. Pendant ce temps, faites durcir les œufs pendant 9 minutes. Passez-les sous l'eau froide, écalez-les et coupez-les en quatre. Réservez.

3. Hachez les olives vertes.

4. Faites chauffer l'huile dans une poêle et faites frire les saucisses, après les avoir piquées avec une aiguille ou la pointe d'un couteau pour qu'elles n'éclatent pas. Tronçonnez les saucisses.

5. Terminez d'écraser les pois cassés avec le presse-purée.

6. Rectifiez l'assaisonnement si nécessaire. Ajoutez les saucisses, les olives vertes hachées, mélangez intimement et servez sur les tranches de pain où ont été déposés les œufs durs.

Soupe de gombos 🥘

Gombos : voir p. 198.

Préparation : 2 à 3 mn
Cuisson : 25 mn

500 g de gombos
  (frais ou en conserve)
2 l de bouillon
  de légumes
150 g de manioc
Sel

1. S'ils sont frais, lavez et blanchissez les gombos 7 à 8 minutes dans de l'eau bouillante salée. Si vous utilisez des conserves, égouttez-les et rafraîchissez-les à l'eau courante.

2. Mettez le manioc dans une casserole, versez le bouillon, délayez et amenez à ébullition sans cesser de tourner. Salez, réduisez le feu et laissez cuire 15 minutes.

3. Ajoutez les gombos coupés en rondelles et servez.

Bob tchorba 🍲

Trempage : 12 h
Préparation : 15 mn
Cuisson : 1 h 35

250 g de haricots blancs
*   secs*
5 cuillerées à soupe
*   d'huile d'olive*
125 g d'oignons
50 g de farine
100 g de carottes
1 branche de céleri
1 cuillerée à soupe de
*   concentré de tomate*
1 cuillerée à café
*   de paprika*
1 douzaine de feuilles
*   de menthe*
2,5 l d'eau
2 branches de persil
Sel

1. La veille, mettez les haricots à tremper dans de l'eau froide.

2. Le lendemain, égouttez-les et mettez-les dans une grande casserole. Couvrez-les d'eau. Salez, portez à ébullition.

3. Ajoutez le céleri et les carottes épluchées et laissées entières. Laissez cuire pendant 1 h 30.

4. Hachez finement les oignons.

5. Faites chauffer l'huile et mettez l'oignon à étuver. Ajoutez la farine, mélangez, mettez le concentré, le paprika, mouillez avec 2 louches de bouillon. Amenez à ébullition et versez sur les haricots.

6. Rectifiez l'assaisonnement et ajoutez la menthe fraîche hachée ainsi que le persil. Servez sans attendre.

Soupe bulgare aux boulettes 🍲🍲

Préparation : 40 mn
Cuisson : 20 mn

2 l de consommé
1 yaourt
1 jaune d'œuf
1 poignée de vermicelles
*   (facultatif)*

Pour les boulettes :

200 g de chair à saucisse
*   et 100 g de viande*
*   hachée mélangées*
75 g de mie de pain
1 oignon
1 branche de persil

1. Préparez les boulettes : mettez la mie de pain à tremper dans le lait.

2. Épluchez, hachez finement l'oignon et le persil. Mettez-les dans une terrine, ajoutez la viande, la chair à saucisse, la sarriette, 1 jaune et les blancs d'œufs. Salez, poivrez, mélangez le tout.

3. Formez dans les mains des petites boulettes de la grosseur d'une noisette. Roulez-les dans la farine.

4. Portez le consommé à ébullition et jetez les boulettes dedans. Laissez-les cuire pendant 20 minutes. Retirez-les avec l'écumoire et réservez-les.

Soupe bulgare aux boulettes *(suite)*

1 verre de lait
2 pincées de sarriette
1 jaune d'œuf
2 blancs d'œufs
Farine
Sel, poivre

5. Battez le yaourt avec le dernier jaune d'œuf et versez le bouillon dessus tout en tournant. Ajoutez les boulettes.

6. Si vous le désirez, vous pouvez ajouter 1 poignée de vermicelles cuits à part.

Soupe d'orties 🍲

Préparation : 10 mn
Cuisson : 30 mn

5 grosses poignées
de feuilles d'orties
100 g de riz grain rond
1 carotte
1 oignon
1 yaourt
2 l d'eau
Sel, poivre

1. Plongez les feuilles d'orties, la carotte et l'oignon épluchés dans de l'eau bouillante salée pendant 30 minutes.

2. Faites cuire le riz par ailleurs. Égouttez-le.

3. Passez les légumes à l'étamine.

4. Mettez le yaourt dans la soupière, fouettez-le quelques secondes et, toujours en fouettant, versez la soupe dessus.

5. Poivrez, ajoutez le riz et servez aussitôt.

Tarator 🍲

Dégorgement : 2 h
Préparation : 15 mn

1 gros concombre
150 g de cerneaux
de noix
2 l de yaourt
4 cuillerées à soupe
d'huile d'olive
1 gousse d'ail
2 feuilles de fenouil
Gros sel, poivre

1. Après avoir épluché le concombre, coupez-le en deux puis en minces tranches. Mettez ces tranches dans un plat creux en verre ou en terre et recouvrez de gros sel. Laissez dégorger pendant 2 heures.

2. Ce temps étant écoulé, lavez les tranches de concombre, épongez-les et mettez-les dans une soupière. Ajoutez-y les cerneaux de noix pilés, l'huile d'olive, la gousse d'ail épluchée et écrasée et le yaourt battu. Poivrez.

3. Ajoutez le fenouil haché. Mélangez le tout et rectifiez l'assaisonnement si nécessaire. Mettez au frais.

Cazuela ☙☙

Préparation : 20 mn
Cuisson : 2 h 10

1 poule
500 g de pommes de terre
1 tranche de potiron
* de 350 g*
2 épis de maïs verts
2 gousses d'ail
1 gros oignon
250 g de haricots verts
250 g de petits pois
* écossés*
100 g de riz
2 piments rouges séchés
1 branche de persil
30 g de saindoux
2 jaunes d'œufs
3 l d'eau
Sel, poivre

1. Coupez la poule en morceaux et mettez-la dans une grande marmite avec l'eau froide. Amenez à ébullition et écumez plusieurs fois. Salez, réduisez le feu et laissez cuire pendant 1 h 30.

2. Épluchez les légumes. Coupez en morceaux les pommes de terre, le potiron, les haricots verts, l'oignon. Coupez le maïs en rondelles, écrasez l'ail.

3. Écrasez le piment dans le saindoux et faites-le fondre dans une marmite. Ajoutez les morceaux de poule bien égouttés et faites-leur prendre légèrement couleur.

4. Mouillez avec le bouillon, ajoutez tous les légumes ainsi que le riz, poivrez et laissez mijoter pendant 45 minutes.

5. Au moment de servir, délayez les jaunes d'œufs avec un peu de bouillon et ajoutez-les à la soupe.

Pho ou pot-au-feu

Préparation : 15 mn
Cuisson : 2 h 45

*750 g de bœuf
(macreuse ou gîte)
1 os à moelle
2 navets
3 carottes
1 oignon
250 g de pâtes chinoises
1 graine de badiane
1 pincée de gingembre
1 cuillerée à café
de glutamate
1 cuillerée à soupe
de coriandre ou
de ciboulette hachée
2,5 l d'eau
Sauce soja ou nuoc-mâm*

1. Épluchez les carottes, les navets et l'oignon, coupez-les en morceaux et mettez-les dans une grande casserole avec la viande et l'os. Couvrez d'eau et amenez à ébullition. Écumez et laissez bouillotter pendant 2 h 30.

2. Retirez la viande et découpez-la en lamelles.

3. Passez les légumes à l'étamine et remettez la purée obtenue dans la casserole. Ajoutez le gingembre, le glutamate, la badiane et les pâtes. Laissez cuire 15 minutes et ajoutez les lamelles de viande.

4. Versez dans des bols, saupoudrez de coriandre ou de ciboulette, et servez accompagné de sauce soja ou de nuoc-mâm.

Soupe de champignons noirs

Préparation : 15 mn
Cuisson : 2 h 05

*1 carcasse de poulet
1 os à moelle
700 g d'échine de porc
2 poignées de
champignons noirs
100 g de vermicelles
transparents
1 gros oignon piqué
de 1 clou de girofle
100 g de germes de soja*

1. Dans une grande marmite, mettez la carcasse du poulet, l'échine de porc, l'os à moelle, l'oignon, l'estragon, le basilic, la sauge, le glutamate. Couvrez d'eau et faites bouillir.

2. Lorsque l'ébullition est atteinte, réduisez le feu et laissez cuire pendant 2 heures.

3. Quelques minutes avant la fin de la cuisson, mettez à tremper dans un bol d'eau froide les champignons noirs et dans un autre bol les vermicelles.

Soupe de champignons noirs *(suite)*

2 cuillerées à soupe
   d'herbes aromatiques
   hachées (persil,
   ciboulette, menthe,
   cerfeuil)
1 citron
1 pincée d'estragon
1 pincée de basilic
1 pincée de sauge
1 cuillerée à café
   de glutamate
2 l d'eau

4. Retirez la viande du bouillon et hachez-la grossièrement au hachoir à main.

5. Passez le bouillon à l'étamine. Remettez-le dans la marmite et ajoutez la viande hachée, les champignons noirs, les vermicelles ainsi que les herbes aromatiques. Laissez bouillir 5 minutes.

6. Répartissez les germes de soja dans des bols individuels, ajoutez 1 cuillerée à café de jus de citron et versez dessus la soupe brûlante.

Soupe de champignons noirs aux crevettes ⬛

Préparation : 5 mn
Cuisson : 20 mn

400 g de crevettes cuites
2 poignées de
   champignons noirs
100 g de vermicelles
   transparents
100 g de germes de soja
2 cuillerées à soupe
   de ciboulette, persil,
   menthe et cerfeuil
   hachés
Le jus de 1 citron
1 cuillerée à café
   de glutamate
1,5 l d'eau

1. Mettez les champignons noirs à tremper pendant 5 minutes dans de l'eau froide. Faites de même avec les vermicelles.

2. Décortiquez les crevettes.

3. Mettez l'eau dans une grande casserole, ajoutez les herbes hachées, le glutamate. Portez à ébullition, réduisez le feu et laissez bouillotter pendant 10 minutes.

4. Ajoutez les champignons noirs, les vermicelles et le soja. Faites cuire 5 minutes.

5. Ajoutez enfin les crevettes, laissez cuire encore 5 minutes.

6. Retirez du feu, ajoutez le jus de citron et servez dans des bols.

Soupe aux gombos
(voir recette page 198)

Soupe de pois cassés au citron
(voir recette page 234)

Soupe de cresson aux crevettes 🍲

Préparation : 10 mn
Cuisson : 50 mn

*100 g de crevettes
en boîte
1 gros oignon
1 cuillerée à soupe de
gingembre frais haché
50 g de beurre
350 g d'échine de porc
1 pincée de glutamate
1 botte de cresson
2 l d'eau
Poivre*

1. Hachez finement l'oignon et les crevettes, dont vous aurez conservé le jus. Ajoutez le gingembre haché et mélangez le tout.

2. Coupez le porc en fines lamelles.

3. Faites fondre le beurre dans une casserole et faites revenir la viande et le hachis.

4. Lorsque la viande aura légèrement coloré, ajoutez l'eau. Portez à ébullition. Ajoutez le glutamate, le poivre et laissez cuire à petits bouillons pendant 30 minutes.

5. Nettoyez le cresson, lavez-le et hachez-le grossièrement. Ajoutez-le à la soupe et laissez cuire pendant 20 minutes.

Soupe du Sichuan 🍲

Préparation : 15 mn
Cuisson : 2 h 15 + 20 mn

*350 g de pousses
de bambou
250 g de chou
1 gros oignon
75 g de saindoux
2 cuillerées à soupe
de farine de maïs
1 cuillerée à soupe
de vinaigre blanc
1/2 cuillerée à café
de glutamate
Nuoc-mâm
2 œufs
1 cuillerée à café d'huile
2 l de consommé de
volaille (p. 47)
Poivre*

1. Épluchez l'oignon, émincez-le. Lavez le chou, coupez-le en julienne. Rafraîchissez les pousses de bambou à l'eau froide et coupez-les en dés.

2. Faites fondre le saindoux dans une casserole et faites-y revenir l'oignon. Ajoutez le chou et les pousses de bambou. Versez la farine de maïs, remuez bien et mouillez avec le consommé. Portez à ébullition tout en remuant, puis laissez frémir 15 minutes.

3. Ajoutez le vinaigre, le glutamate. Poivrez.

4. Battez les œufs entiers dans un bol avec l'huile. Passez-les à travers une écumoire dans la soupe brûlante.

5. Retirez du feu et servez avec le nuoc-mâm.

CUBA

Sancocho 🥘

La sancocho se fait à Cuba, mais aussi dans toute l'Amérique latine.
C'est une sorte de pot-au-feu où l'on met ce que l'on a.

Préparation : 20 mn
Cuisson : 2 h

1 poule
500 g de manioc
2 pommes de terre
3 épis de maïs
5 bananes plantains
  vertes
5 carottes
150 g de haricots verts
1 cuillerée à café
  de cumin
1/2 cuillerée à café
  de coriandre en poudre
1 cuillerée à café
  de coriandre fraîche
5 cuillerées à soupe
  d'huile de tournesol
3 l d'eau
Sel, poivre

1. Mettez la poule dans une grande marmite avec l'eau, le sel, le poivre, le cumin et la coriandre en poudre. Portez à ébullition, réduisez le feu et faites cuire pendant 1 h 30.

2. Pendant ce temps, épluchez le manioc, les carottes, les pommes de terre. Lavez et coupez en morceaux tous ces légumes.

3. Effilez les haricots verts, coupez-les en morceaux. Épluchez les bananes plantains.

4. Mettez les carottes, le manioc et 2 bananes plantains avec la poule. Faites cuire pendant 15 minutes.

5. Ajoutez les pommes de terre, le maïs et les haricots verts. Comptez encore 20 minutes de cuisson à feu doux.

6. Retirez la poule, le maïs. Égrenez ce dernier et remettez-le dans la soupe. Otez la peau de la poule et émiettez les chairs, remettez-les dans la soupe.

7. Écrasez les bananes plantains qui ont cuit dans la soupe. Retirez du feu, mais couvrez.

8. Coupez les 3 bananes qui restent sur 2 cm d'épaisseur et faites-les cuire dans l'huile de tournesol. Ajoutez-les à la soupe.

9. Parsemez de coriandre fraîche hachée et servez.

DANEMARK

Soupe de fruits et de poissons

Préparation : 30 mn
Cuisson : 2 h

100 g de pruneaux
75 g de raisins secs
Le zeste de 1 citron
* non traité*
2 pincées de cannelle
* en poudre*
3,500 kg de citrons,
* oranges et groseilles*
300 g de cabillaud
75 g de tapioca

1. Dénoyautez les pruneaux et faites-les tremper dans de l'eau froide pendant 1 heure. Faites aussi tremper à part les raisins secs.

2. Mettez le cabillaud dans une casserole, couvrez d'eau froide et mettez sur le feu ; dès l'ébullition, laissez frémir pendant 20 minutes.

3. Égouttez le poisson, débarrassez-le de sa peau et des arêtes et laissez-le refroidir avant de l'émietter.

4. Pressez les citrons et les oranges, écrasez les groseilles. Filtrez le jus obtenu que vous versez dans une casserole, et amenez tout doucement à ébullition. A ce moment-là, ajoutez le tapioca et laissez frémir pendant 30 minutes à découvert.

5. Ajoutez les pruneaux, les raisins, la cannelle, le zeste de citron et le cabillaud. Faites reprendre l'ébullition et retirez du feu. Servez chaud.

Bouillon de fife 🍲

Trempage : 12 h
Préparation : 15 mn
Cuisson : 2 h 30

Les os de côtes de porc
250 g d'orge
1 gros oignon
1 kg de pommes de terre
2 l d'eau
Galettes d'avoine
Sel, poivre

1. La veille, mettez l'orge à tremper dans de l'eau froide.

2. Le lendemain, disposez les os et l'orge dans une casserole, versez l'eau. Salez. Amenez à ébullition et laissez cuire pendant 2 heures à couvert après avoir réduit le feu.

3. Au bout de ce temps, ajoutez les pommes de terre épluchées, lavées et coupées en rondelles, et l'oignon finement haché. Laissez cuire encore 30 minutes. Poivrez.

4. Retirez alors les os et servez le bouillon accompagné de galettes d'avoine.

Cock-a-leekie 🍲

Préparation : 20 mn
Cuisson : 2 h 15

1 poule
1 kg de poireaux
1 oignon piqué de 2 clous
de girofle
1 branche de persil
4 grains de poivre
300 g de pruneaux
1 pointe de macis
1 pincée de quatre-épices
2,5 l d'eau
Sel

1. Mettez les pruneaux à tremper dans de l'eau froide.

2. Nettoyez les poireaux, lavez-les et séparez le blanc du vert. Mettez le vert en une botte que vous ficelez, et émincez finement le blanc.

3. Dans une marmite, mettez la poule, le persil, l'oignon, la botte de vert de poireaux et le blanc des poireaux émincé. Couvrez avec l'eau. Amenez à ébullition. Écumez plusieurs fois.

4. Salez, poivrez, ajoutez la pointe de macis et le quatre-épices, et faites cuire à petits bouillons pendant 1 h 30.

5. Ajoutez les pruneaux. Laissez cuire encore 30 minutes.

6. A la fin de la cuisson, retirez la poule de la marmite et désossez-la entièrement. Coupez les chairs en lamelles et remettez-les dans la soupe. Donnez juste un bouillon afin que la soupe soit bien chaude.

Odge podge 🍲

Préparation : 15 mn
Cuisson : 3 h

1 kg d'épaule de mouton
1 kg de culotte de bœuf
4 blancs de poireaux
2 navets
2 carottes
1 gousse d'ail
1 oignon piqué de 2 clous
 de girofle
250 g de pommes de terre
150 g de haricots verts
100 g de haricots blancs
 frais écossés
100 g de fèves écossées
100 g de petits pois
 écossés
1 petite laitue
3 l d'eau
Sel, poivre

1. Faites désosser l'épaule de mouton par votre boucher, et faites-la ficeler.

2. Mettez dans une grande marmite le mouton, la culotte de bœuf, les blancs de poireaux ficelés ensemble, les navets et les carottes épluchés, lavés et coupés en morceaux, l'oignon et la gousse d'ail épluchée. Couvrez d'eau, amenez à ébullition, écumez autant de fois que vous le jugerez nécessaire.

3. Salez, poivrez et faites cuire à petits bouillons pendant 2 heures.

4. Ajoutez alors les pommes de terre épluchées, lavées et coupées en morceaux, les haricots verts coupés de même, les fèves, les petits pois, les haricots blancs, puis la salade bien lavée et coupée en quartiers. Faites reprendre l'ébullition et laissez cuire encore à petite ébullition 1 heure.

5. Servez le bouillon et présentez à part les légumes et les viandes coupées en morceaux.

Soupe écossaise 🍲

Trempage : 2 h
Préparation : 15 mn
Cuisson : 3 h

500 g de collier
 de mouton
500 g d'épaule
 de mouton
75 g d'orge
75 g de pois secs
2 navets
2 carottes
1 blanc de poireau
Le cœur de 1 chou
 de 250 g environ
1 cuillerée à soupe
 de pétales de souci frais
2,5 l d'eau
1 oignon
1 cuillerée à soupe
 de persil haché
Sel, poivre

1. Mettez l'orge à tremper dans de l'eau froide pendant 2 heures.

2. Ficelez les viandes et mettez-les dans une grande casserole avec l'orge égouttée, les pois secs et l'eau. Portez à ébullition et écumez. Salez, couvrez et laissez cuire à feu réduit pendant 1 heure.

3. Ajoutez alors l'oignon épluché et le poireau finement hachés, les carottes, les navets ainsi que les pétales de souci. Faites reprendre l'ébullition et laissez cuire à nouveau pendant 1 h 30.

4. Retirez la viande du bouillon, désossez-la, coupez-la en morceaux. Remettez-la dans le bouillon avec le chou lavé et coupé en julienne. Laissez cuire encore 20 minutes.

5. A la fin de la cuisson, poivrez, ajoutez le persil haché.

Soupe d'amandes 🍲🍲

Préparation : 30 mn
Cuisson : 15 mn

400 g d'amandes
débarrassées
de leurs coques
3 gousses d'ail
1 poivron rouge
2 branches de persil
1 pincée de safran
3 tranches de pain rassis
coupées en dés
2 l d'eau
4 grains de poivre
Huile de tournesol
Sel

1. Mondez les amandes après les avoir trempées dans de l'eau bouillante. Faites-les dorer dans l'huile. Épongez-les sur un papier absorbant.

2. Épluchez les gousses d'ail, écrasez-les. Coupez le poivron en quatre, retirez les graines et coupez les quartiers en lamelles.

3. Faites revenir dans la même huile l'ail, le poivron, le pain, le persil haché.

4. Lorsque le tout est bien doré, retirez l'huile et mettez les ingrédients dans un mortier dans lequel vous ajoutez aussi les amandes. Pilez longuement le tout pour obtenir une pâte homogène.

5. Versez alors cette pâte dans une casserole et délayez-la avec l'eau. Ajoutez les grains de poivre, le sel, le safran, et amenez à ébullition tout en tournant.

6. Laissez cuire pendant 5 minutes après le départ de l'ébullition, et servez aussitôt.

Soupe catalane 🍲

Préparation : 30 mn
Cuisson : 2 h 15 + 25 mn

500 g de bœuf
(gîte ou macreuse)
6 tranches de pain
1 gousse d'ail
2 cuillerées à soupe
de persil haché
60 g de saindoux
50 g de farine
1 jaune d'œuf
2 l de consommé de
volaille (p. 47)
Sel, poivre

1. Coupez le bœuf en morceaux et hachez-le avec l'ail épluché. Mettez dans une terrine le hachis, auquel vous ajoutez le persil, le safran et le jaune d'œuf. Salez, poivrez.

2. Façonnez dans le creux des mains des petites boulettes grosses comme des noisettes, puis roulez-les dans la farine.

3. Faites fondre le saindoux dans une poêle et faites revenir les noisettes de hachis. Déposez-les sur un papier absorbant.

4. Préparez la picada : mondez les noisettes et les amandes. Mettez-les dans un mortier avec les gousses d'ail et pilez-les. Ajoutez le

Soupe catalane *(suite)*

Pour la picada :

2 gousses d'ail
40 g de noisettes
40 g d'amandes
1 verre à liqueur de xérès
1 pincée de cannelle
1 pincée de safran
1 cuillerée à café
  de persil haché
Sel, poivre

xérès, et 1 cuillerée à soupe d'eau si la pâte est trop épaisse. Mettez le poivre, la cannelle et le sel.

5. Mettez le consommé dans une casserole, amenez-le à ébullition et jetez dedans le pain que vous aurez fait griller par ailleurs. Laissez-le se défaire et, au besoin, aidez-le en l'écrasant avec une fourchette.

6. Ajoutez les boulettes de viande et la picada, réduisez le feu pour que les boulettes ne se défassent pas et laissez cuire à petits bouillons 15 minutes.

Gaspacho ☙

Préparation : 30 mn

5 grosses tomates
1 poivron rouge
300 g de concombre
3 gousses d'ail
1 oignon
6 tranches de pain de mie
4 cuillerées à soupe
  d'huile d'olive
2 l de consommé de
  volaille (p. 47)
2 cuillerées à soupe
  de vinaigre de vin
Huile de tournesol
6 glaçons
Sel, poivre

1. Plongez les tomates dans de l'eau bouillante pour mieux les éplucher. Coupez-les en quatre, retirez les graines, puis coupez la pulpe en dés. Réservez.

2. Épluchez le concombre, coupez-le en quatre puis en minuscules dés après avoir retiré les graines. Mettez de côté.

3. Lavez le poivron, coupez-le en quatre de façon à retirer les graines, puis en fines lamelles.

4. Épluchez et émincez l'oignon.

5. Épluchez les gousses d'ail et pilez-les dans un mortier. Ajoutez l'huile d'olive et mélangez.

6. Passez au mixeur l'oignon émincé, la moitié des tomates, du concombre et du poivron. Ajoutez le consommé, le sel, le poivre, le vinaigre. Mélangez bien et laissez reposer au frais jusqu'au moment de servir.

7. Taillez les tranches de pain en petits dés que vous faites revenir dans de l'huile de tournesol chaude. Égouttez-les.

8. Mettez alors dans le gaspacho les légumes réservés, 5 ou 6 glaçons, et servez. Les dés de pain frits et froids seront servis à part dans des coupelles.

Olla podrida 🍲

Trempage : 12 h
Préparation : 20 mn
Cuisson : 4 h 10

750 g de plat de côtes
200 g d'épaule
de mouton
300 g de poitrine
de mouton
300 g de jambon cru
250 g de lard salé
1 oreille de cochon
1 pied de cochon
6 chorizos
1 poule
1 perdrix (à la saison)
2 carottes
4 blancs de poireaux
1 gros oignon
4 pommes de terre
1 petite laitue
200 g de pois chiches
1/2 chou
1 bouquet garni
5 l d'eau
2 gousses d'ail
Huile
Sel, poivre

1. La veille, mettez les pois chiches à tremper dans de l'eau froide.

2. Le lendemain, mettez le plat de côtes, les viandes de mouton, celles de porc, le lard dans une très grande marmite. Couvrez d'eau froide et amenez à ébullition. Écumez autant de fois que vous le jugerez nécessaire.

3. Salez, poivrez, ajoutez le bouquet garni, les pois chiches, l'ail écrasé et laissez cuire à couvert à petits bouillons pendant 2 heures.

4. Mettez la poule, la perdrix et les chorizos dans un grand plat allant au four avec très peu d'huile, et faites-les dorer au four pendant 40 minutes.

5. Mettez-les dans le bouillon avec les autres viandes et ajoutez les légumes grossièrement émincés. Laissez cuire 1 heure.

6. Puis ajoutez les pommes de terre et prolongez la cuisson pendant encore 30 minutes.

7. Lorsque la cuisson est terminée, dressez les viandes et les légumes sur un grand plat et versez le bouillon dans la soupière.

ÉTATS-UNIS

Clams-chowder 🍲

Préparation : 30 mn
Cuisson : 30 mn

3 douzaines de clams
100 g de lard de poitrine
1 gros oignon
2 branches de céleri
1 piment doux
4 pommes de terre
2 l d'eau
5 cuillerées à soupe
d'huile
50 g de beurre
20 cl de crème fraîche
Sel, poivre

1. Grattez et lavez les clams, puis mettez-les dans une casserole avec 1 verre d'eau. Faites-les chauffer à feu vif afin qu'ils s'ouvrent. Passez le jus de cuisson et conservez-le.

2. Coupez le lard en dés et faites-le revenir tout doucement dans l'huile. Ajoutez l'oignon haché, puis le céleri et le piment coupé en julienne. Laissez légèrement colorer, puis ajoutez l'eau et le jus des clams. Amenez jusqu'à ébullition, ajoutez les pommes de terre épluchées et coupées en gros dés. Laissez cuire pendant 20 minutes.

3. Ajoutez alors la crème fraîche, le beurre, les clams. Salez et poivrez. Remettez sur le feu jusqu'à l'ébullition mais sans laisser reprendre.

4. Servez le clams-chowder accompagné de biscuits salés de type crackers.

Soupe aux gombos et aux huîtres ☺☺

Préparation : 20 mn
Cuisson : 30 mn

100 g de panne de porc
1 gros oignon
1 douzaine de gombos
2 tomates
2 douzaines d'huîtres
3 cuillerées à soupe
* d'huile*
1 cuillerée à soupe
* d'arrow-root*
1/2 cuillerée à café
* de curry*
2 l de bouillon
Sel, poivre

1. Coupez la panne de porc en dés et faites-la revenir tout doucement dans l'huile. Ajoutez l'oignon épluché et haché, les tomates épluchées et épépinées ainsi que les gombos émincés. Mouillez avec le bouillon, ajoutez le curry et laissez cuire 20 minutes.

2. Ouvrez les huîtres (conservez leur eau) et faites-les pocher pendant quelques minutes dans le potage.

3. Délayez l'arrow-root avec 5 cuillerées à soupe de potage et versez-le avec l'eau des huîtres dans la soupe. Salez, poivrez. Tout en tournant, amenez à ébullition.

4. Retirez du feu et servez aussitôt.

Soupe au haddock ☺

Préparation : 15 mn
Cuisson : 25 mn

750 g de haddock
100 g de poitrine de porc
1 oignon
750 g de pommes de terre
4 cuillerées à soupe
* d'huile de tournesol*
1,5 l de lait
50 cl d'eau
3 branches de persil
Sel, poivre

1. Coupez la poitrine de porc en dés et faites-la revenir rapidement dans l'huile avec l'oignon épluché et haché.

2. Ajoutez les pommes de terre épluchées, lavées et coupées en rondelles. Couvrez d'eau, salez, poivrez, ajoutez le persil et laissez cuire à feu doux 10 minutes.

3. Ajoutez alors le haddock coupé en morceaux, versez le lait et laissez frémir à feu doux pendant 15 minutes.

Kakavia 🍲🍲

Préparation : 40 mn
Cuisson : 1 h 30

1,500 kg de poissons
  de plusieurs variétés
  (bar, cabillaud, vieille,
  flétan, etc.)
1 petit homard
300 g de crevettes grises
1 l de moules
2 grosses tomates
1 branche de fenouil
1 blanc de poireau
2 branches de persil
1 brin de thym
1 feuille de laurier
1 gros oignon
25 cl de vin blanc sec
2,5 l d'eau
6 cuillerées à soupe
  d'huile d'olive
Croûtons grillés
Sel, poivre

1. Nettoyez les moules, puis lavez-les soigneusement à l'eau froide jusqu'à ce que celle-ci soit bien claire.

2. Écaillez, nettoyez et lavez les poissons ; coupez les plus gros en morceaux.

3. Mettez l'huile à chauffer dans une grande casserole, et faites fondre l'oignon épluché et émincé, le poireau coupé en julienne. Ne laissez pas colorer.

4. Ajoutez les tomates pelées, égrenées et coupées en morceaux, la tige de fenouil coupée en rondelles, les herbes aromatiques, le vin et enfin l'eau. Portez à ébullition. Salez, poivrez, réduisez le feu et laissez mijoter pendant 45 minutes.

5. Plongez les crevettes pendant 5 minutes dans de l'eau bouillante salée. Décortiquez-les.

6. Pendant ce temps, mettez les moules dans une casserole et faites-les ouvrir à feu vif pendant 7 à 8 minutes. Retirez-les de leurs coquilles et réservez-les ainsi que leur jus.

7. Salez le poisson et laissez-le reposer ainsi pendant 10 minutes avant de le rincer.

8. Passez le bouillon au tamis. Remettez-le dans la casserole et ajoutez le poisson. Laissez frémir 5 minutes.

9. Ajoutez le homard, laissez cuire 10 minutes. Puis mettez les moules, laissez encore frémir 5 minutes.

10. Servez la soupe avec des croûtons grillés.

Potage au mouton ⌕

Préparation : 15 mn
Cuisson : 3 h 30

500 g de pois cassés
500 g de poitrine
*   de mouton coupés*
*   en morceaux*
2 carottes
2 navets
1 branche de céleri
*   (sans les feuilles)*
1 oignon
50 g de beurre
4 l d'eau
Sel, poivre

1. Épluchez, lavez les carottes, les navets, l'oignon, le céleri. Coupez-les en petits dés et faites-les fondre à l'étuvée dans 30 g de beurre pendant 20 minutes.

2. Mettez les pois cassés dans une casserole avec 1,5 l d'eau froide. Salez, poivrez et faites-les cuire à petits bouillons pendant 1 h 30.

3. Passez au tamis et faites une purée.

4. Faites revenir les morceaux de poitrine de mouton dans le reste du beurre.

5. Ajoutez la brunoise et mouillez avec 2,5 l d'eau. Portez à ébullition. Écumez et salez, baissez le feu et laissez cuire pendant 1 h 30.

6. Ajoutez la purée de pois au bouillon. Mélangez et retirez du feu au premier bouillon.

7. Servez en laissant entiers les morceaux de mouton.

Soupe grecque ⌕⌕

Préparation : 30 mn
Cuisson : 1 h

1 oignon
1 branche de céleri
1 carotte
2 cuillerées à soupe
*   de persil*
Le jus de 1 citron
1,5 l d'eau
Sel, poivre

Pour les boulettes :

500 g de mouton
125 g de riz
1 oignon
1 cuillerée à café
*   d'origan*
2 cuillerées à soupe
*   de menthe*
*   et de basilic hachés*
1 œuf
Sel, poivre

1. Épluchez l'oignon, la carotte, et hachez menu ces légumes ainsi que le céleri. Mettez-les dans une casserole avec l'eau et le sel. Amenez à ébullition, réduisez le feu et faites cuire pendant 30 minutes.

2. Pendant ce temps, préparez les boulettes : faites cuire le riz pendant 20 minutes après l'avoir lavé, égouttez-le. Épluchez l'oignon, hachez-le ainsi que la viande. Mettez-les dans une terrine avec la menthe, le basilic, l'origan, le riz, l'œuf, le sel et le poivre.

3. Mélangez intimement le tout et formez dans le creux des mains des petites boulettes de la grosseur d'une noisette.

4. Plongez-les dans la marmite et laissez cuire dans le bouillon frémissant pendant 20 minutes.

5. Retirez du feu, ajoutez le jus de citron. Servez la soupe saupoudrée de persil haché.

Potée néerlandaise ☙

Préparation : 30 mn
Cuisson : 3 h

2 pieds de porc
6 petites saucisses
250 g de lard maigre
500 g de pois cassés
300 g de céleri-rave
2 cuillerées à soupe
de feuilles de céleri
4 grosses pommes
de terre
1 cuillerée à café
de sarriette
3 l d'eau
Moutarde
Pain de seigle
Sel, poivre

1. Nettoyez soigneusement les pieds de cochon et mettez-les dans une marmite avec l'eau et les pois cassés. Portez à ébullition, salez, poivrez, puis laissez mijoter pendant 2 h 30.

2. Épluchez le céleri-rave, coupez-le en morceaux. Épluchez, lavez les pommes de terre et coupez-les en morceaux. Lavez, émincez les feuilles de céleri. Coupez les saucisses et le lard. Ajoutez le tout au bouillon et poursuivez la cuisson pendant 30 minutes.

3. Retirez les pieds de porc, détachez la viande qui adhère aux os et détaillez-la en morceaux. Retirez, coupez aussi les saucisses et le lard, coupez-les en morceaux.

4. Remettez les viandes dans la soupe. Saupoudrez de sarriette. Donnez un bouillon à la potée et servez aussitôt en l'accompagnant de tranches de pain de seigle grillées, ainsi que d'un pot de moutarde.

Soupe de cerfeuil ☙

Préparation : 10 mn
Cuisson : 20 mn

100 g de feuilles
de cerfeuil
75 g de beurre
4 cuillerées à soupe
de cerfeuil haché
4 œufs
2 l d'eau
Sel

1. Faites fondre tout doucement les feuilles de cerfeuil dans le beurre.

2. Mouillez avec l'eau et amenez à ébullition. Salez et laissez mijoter pendant 10 minutes.

3. Battez les œufs dans la soupière et versez la soupe dessus tout en battant avec le fouet. Saupoudrez de cerfeuil haché.

Goulache

Cette soupe très ancienne remonterait au IXe siècle, au temps des tribus nomades. En France, on appelle « goulache » (ou « goulasch », orthographié à l'allemande), sans doute par extension, un ragoût de viande, ce qui est impropre. Si les ingrédients sont quasiment les mêmes, la goulache est une soupe.

Préparation : 20 mn
Cuisson : 2 h

750 g de viande de bœuf
  (gîte ou crosse)
40 g de saindoux
1 kg de pommes de terre
100 g d'oignons
1 grosse tomate
1 cuillerée à café
  de paprika
1 gousse d'ail
4 ou 5 grains de cumin
2,5 l d'eau
Sel

1. Épluchez et émincez finement les oignons.

2. Coupez la viande en dés.

3. Faites fondre le saindoux dans une grande casserole, et faites revenir les oignons émincés et la viande.

4. Ajoutez le paprika, l'ail écrasé, les grains de cumin. Couvrez d'eau, salez et faites partir l'ébullition. Réduisez le feu et laissez cuire à couvert pendant 1 h 30.

5. Ébouillantez la tomate, épluchez-la, retirez les grains.

6. Épluchez les pommes de terre que vous laverez et couperez en rondelles.

7. Ajoutez les pommes de terre, la pulpe de tomate à la goulache et continuez la cuisson pendant 30 minutes.

8. Si nécessaire, rectifiez l'assaisonnement au moment de servir.

Harcho 🍲

Préparation : 25 mn
Cuisson : 1 h 45

*500 g de poitrine
de mouton
1 gros oignon
1 grosse tomate
1 gousse d'ail
1 poignée de feuilles
de céleri
2 cuillerées à soupe
d'aneth haché
100 g de riz
75 g de prunes confites
30 g de saindoux
2 l d'eau
Sel*

1. Découpez la viande en cubes et mettez-la dans une casserole avec l'eau. Amenez à ébullition et écumez. Salez.

2. Épluchez, hachez finement l'oignon, que vous ajouterez au bouillon. Laissez frémir pendant 1 heure.

3. Ébouillantez la tomate, épluchez-la, retirez les graines.

4. Faites fondre le saindoux dans une poêle et ajoutez-y la pulpe de tomate. Laissez évaporer pendant 15 minutes environ.

5. Hachez l'ail, les feuilles de céleri. Ajoutez-les au bouillon ainsi que la purée de tomate, le riz bien lavé et égoutté, et les prunes. Laissez cuire le tout pendant 20 minutes.

6. Au moment de servir, saupoudrez la soupe d'aneth.

Lebersuppe 🍲

Préparation : 15 mn
+ 15 mn
Cuisson : 2 h 15 + 20 mn

*75 g de lard
300 g de foie de bœuf
5 échalotes
250 g de carottes
100 g de céleri
en branche
60 g de farine
75 g de beurre
25 cl de vin blanc sec
1,75 l de consommé
de volaille (p. 47)
1 pointe de noix muscade
râpée
Croûtons frits au beurre
Sel, poivre*

1. Épluchez carottes et échalotes. Coupez-les en mirepoix, ainsi que la branche de céleri.

2. Coupez le lard en dés. Faites revenir dans le beurre avec la mirepoix, et laissez cuire à feu tout doux.

3. Ajoutez le foie coupé en morceaux, saupoudrez de farine, ajoutez le vin et le consommé. Salez, poivrez, ajoutez la pointe de muscade râpée. Laissez cuire 15 minutes.

4. Passez au tamis le foie et la mirepoix.

5. Remettez dans la casserole, amenez jusqu'à l'ébullition puis versez dans la soupière.

6. Servez la lebersuppe accompagnée de petits croûtons frits au beurre.

Potage aigre
aux pommes de terre 🍲

Préparation : 15 mn
Cuisson : 2 h 30

1 os de veau
750 g de pommes de terre
2 carottes
5 ou 6 queues de persil
1 oignon
1 poignée de feuilles
de céleri
20 cl de crème aigre
50 g de saindoux
40 g de farine
2 l d'eau
1 cuillerée à soupe
de persil
Sel

1. Épluchez les carottes, lavez-les et coupez-les en morceaux. Épluchez et émincez l'oignon. Mettez les légumes dans une grande casserole avec les queues de persil, l'os de veau, l'eau et le sel. Faites bouillir pendant 2 heures à petits bouillons.

2. Retirez du bouillon, passez à l'étamine.

3. Faites un roux avec le saindoux et la farine (voir Sauce veloutée, p. 34) et mouillez avec le bouillon.

4. Ajoutez les pommes de terre épluchées, lavées et coupées en dés, les feuilles de céleri finement ciselées et le persil haché. Continuez la cuisson pendant 25 minutes.

5. Quand celle-ci est achevée, ajoutez la crème aigre, mélangez, remettez sur le feu pour donner juste un bouillon et versez dans la soupière.

Potage aux cèpes 🍲🍲

Préparation : 15 mn
Cuisson : 2 h 15

1 os de porc
3 carottes
300 g de cèpes
1 gros oignon
5 queues de persil
1 cuillerée à café
de paprika
20 cl de crème aigre
60 g de saindoux
40 g de farine
3 cuillerées à soupe
de persil haché
2 l d'eau
Galouchkas
Sel, poivre

1. Mettez l'os de porc, les queues de persil serrées en bouquet, les carottes épluchées et lavées, l'eau et le sel dans une grande casserole et faites bouillir doucement pendant 2 heures.

2. Le temps de préparation du bouillon étant écoulé, retirez l'os et passez le bouillon au tamis.

3. Nettoyez, lavez les champignons. Coupez-les en fines lamelles.

4. Faites fondre le saindoux et faites revenir l'oignon épluché et haché avec les lamelles de champignons. Ajoutez le paprika, le sel, le poivre, le persil haché et mouillez avec le bouillon. Amenez jusqu'à l'ébullition tout en remuant et laissez cuire ensuite doucement pendant 10 minutes.

5. Ajoutez alors, hors du feu, la crème aigre ; mélangez, remettez sur le feu quelques secondes sans laisser bouillir. Servez aussitôt.

Vous pouvez servir ce potage accompagné de galouchkas, qui sont des boulettes pochées composées de semoule, de farine, de saindoux, d'œuf, de sel et formées à l'aide d'une cuillère à soupe.

Soupe aux boulettes de foie

Préparation : 15 mn
+ 30 mn
Cuisson : 2 h 15 + 30 mn

350 g de foie de bœuf
(ou de veau)
50 g de beurre
75 g d'oignons
100 g de mie de pain
frais
1 œuf
2 cuillerées à café
de persil
1/2 cuillerée à café
de paprika
1 pointe de noix muscade
râpée
Huile
2 l de consommé
de volaille (p. 47)
Sel, poivre

1. Coupez le foie en dés et faites-le revenir vivement dans de l'huile chaude. Égouttez-le et écrasez-le dans un mortier. Mettez-le dans une terrine.

2. Hachez très finement les oignons, le persil. Ajoutez ces ingrédients à la purée de foie ainsi que la mie de pain, le paprika, la muscade, l'œuf, le beurre ramolli. Salez, poivrez et malaxez l'ensemble jusqu'à ce que vous obteniez une pâte bien homogène.

3. A ce moment-là, formez de minuscules boulettes que vous pochez dans le consommé bouillant pendant 10 minutes. Servez aussitôt.

Soupe aux œufs brouillés 🍲

Préparation : 5 mn
Cuisson : 30 mn

3 œufs
120 g de farine
75 g de saindoux
1 cuillerée à café de
* paprika*
5 branches de persil
2 l d'eau
Sel, poivre

1. Mettez les œufs entiers dans une terrine et ajoutez 30 g de farine. Mélangez puis délayez avec 3 cuillerées à soupe d'eau en tournant vivement pour éviter la formation de grumeaux et obtenir une pâte lisse. Salez. Réservez.

2. Préparez un roux avec le saindoux et la farine restante (voir Sauce veloutée, p. 34). Mouillez avec l'eau.

3. Ajoutez le paprika, le poivre, le persil haché. Salez. Amenez à ébullition tout en remuant, puis baissez le feu et laissez cuire pendant 20 minutes à petits bouillons.

4. Cinq minutes avant de servir, versez la pâte préparée avec les œufs dans la soupe et fouettez vivement pour que se forment de petits filaments. Servez.

INDONÉSIE

Potage indonésien 🍲

Préparation : 10 mn
Cuisson : 30 mn

400 g de gras-double
* déjà préparé*
* par le tripier*
1 branche de céleri
1 cuillerée à café de
* gingembre frais*
1 tasse de lait de coco
2 blancs de poireaux
100 g de riz
Le jus de 1 citron
Huile
2 l d'eau
Sel, poivre

1. Coupez le gras-double en petits morceaux et faites-le revenir dans un peu d'huile.

2. Nettoyez, lavez les poireaux et le céleri ; coupez-les en morceaux et mettez-les dans une casserole avec l'eau, le sel, le gingembre. Faites partir l'ébullition, laissez bouillonner 5 minutes et ajoutez les morceaux de gras-double. Laissez cuire pendant 20 minutes à petits bouillons.

3. Faites cuire le riz à part dans de l'eau salée pendant 20 minutes. Égouttez-le.

4. A la fin de la cuisson du potage, ajoutez le lait de coco, le jus de citron, le riz. Poivrez, mélangez bien et servez.

Scallop soup ☙

Préparation : 10 mn
Cuisson : 40 mn

6 coquilles Saint-Jacques
1 cuillerée à soupe
  d'échalote hachée
1 cuillerée à soupe
  de ciboulette
1 pincée de safran
1 pincée de curry
1 cuillerée à café rase
  de moutarde anglaise
  en poudre
20 cl de crème fraîche
  épaisse
25 cl de vin blanc sec
1,75 l d'eau
Sel, poivre

1. Placez les coquilles Saint-Jacques sur la plaque du four et laissez-les quelques minutes dans le four pour qu'elles s'ouvrent. Détachez les chairs des coquilles et lavez-les soigneusement.

2. Mettez dans une grande marmite l'eau, le vin, la moutarde, le safran, le curry, l'échalote et la ciboulette. Salez, poivrez, amenez à ébullition et laissez ensuite cuire à couvert et à petits bouillons pendant 15 minutes.

3. Ajoutez alors les coquilles Saint-Jacques et laissez frémir 10 minutes.

4. Passez le tout à la moulinette, ajoutez la crème fraîche, mélangez, remettez dans la casserole. Amenez tout doucement à ébullition sans cesser de remuer avec une spatule.

5. Retirez du feu au premier bouillon, et versez dans la soupière.

Soupe à la paysanne ☙

Préparation : 20 mn
Cuisson : 3 h

1 kg de gîte
200 g de pois cassés
200 g d'orge
100 g de fanes de radis
Le cœur de 1 petit chou
2 blancs de poireaux
1 carotte
1 navet
3 l d'eau
Sel

1. Mettez la viande, l'orge et les pois cassés dans une marmite avec l'eau et le sel. Faites partir l'ébullition et laissez cuire à petits bouillons pendant 2 heures. Écumez.

2. Pendant ce temps, préparez les légumes. Épluchez-les, lavez-les et coupez-les en julienne. Mettez-les dans une marmite et continuez doucement la cuisson après la reprise de l'ébullition pendant 1 heure.

3. Lorsque la cuisson est terminée, retirez la viande de la soupe, coupez-la en petits morceaux, remettez-la dans la soupière avec le bouillon et les légumes. Mélangez et servez.

Soupe épicée aux haricots blancs 🍲

Trempage : 12 h
Préparation : 15 mn
Cuisson : 2 h 45

600 g de viande de bœuf
ou de mouton
200 g de haricots blancs
secs
1 gros oignon
1 carotte
3 tomates
4 cuillerées à soupe
d'huile d'olive
3 gousses d'ail
1 cuillerée à soupe
de persil haché
2,5 l de bouillon
1 cuillerée à café
de coriandre en poudre

1. La veille, mettez les haricots blancs à tremper dans de l'eau froide.

2. Le lendemain, épluchez la carotte, les gousses d'ail, l'oignon, les tomates. Vous enlèverez les graines de ces dernières et couperez la pulpe en morceaux.

3. Coupez la viande en morceaux et faites-les revenir dans l'huile d'olive chaude. Égouttez-les. Réservez.

4. Faites revenir les légumes dans l'huile pendant une dizaine de minutes, le temps que l'eau contenue dans les légumes soit bien évaporée.

5. Ajoutez les haricots blancs, la viande. Couvrez avec le bouillon et laissez mijoter pendant 2 heures.

6. Ajoutez alors la coriandre en poudre, le persil haché et laissez mijoter à nouveau pendant 20 minutes. Servez bien chaud.

Soupe de Kubé 🍲🍲

Préparation : 15 mn
+ 40 mn
Cuisson : 2 h 15 + 1 h

5 pommes de terre
2 branches de céleri
2 cuillerées à soupe
de menthe ciselée
Le jus de 1 citron
1 pincée de cumin
2 l de consommé de
volaille (p. 47)
Sel

1. Épluchez, lavez et coupez les pommes de terre. Lavez le céleri et la menthe.

2. Mettez le consommé dans une grande casserole et mettez-y à cuire les pommes de terre avec le céleri pendant 20 minutes.

3. Salez. Ajoutez le jus de citron et le cumin. Continuez la cuisson pendant 10 minutes.

4. Pendant ce temps, préparez la pâte : mettez les tranches de pain azyme à tremper dans de l'eau froide pendant 10 minutes.

Soupe de Kubé *(suite)*

Pour la pâte des boulettes :

500 g de farine de pain azyme
4 tranches de pain azyme
3 œufs
Sel, poivre noir en poudre

Pour la farce :

500 g de bœuf haché
2 oignons hachés
Sel, poivre noir

Égouttez-les et écrasez-les. Mélangez-les aux œufs et à la farine de pain azyme. Poivrez, salez et mélangez intimement pour obtenir une pâte compacte. Roulez des boules de la grosseur d'un œuf et laissez en attente.

5. Préparez la farce en mélangeant intimement la viande hachée, les oignons, le poivre et le sel.

6. Creusez les boulettes de pâte avec l'index et glissez un peu de farce à l'intérieur. Refermez soigneusement la pâte, et continuez à farcir les boulettes jusqu'à épuisement de la farce.

7. Jetez les boulettes dans le bouillon. Quand elles remontent à la surface, elles sont cuites. Retirez la soupe du feu, jetez-y les feuilles de menthe ciselées et servez sans attendre.

ITALIE

Busega ☙

Préparation : 30 mn
Cuisson : 45 mn

500 g de gras-double acheté tout préparé
100 g de lard
1 oignon
1 blanc de poireau
2 grosses tomates
1 petit brocoli
Le cœur de 1 petit chou
100 g de petits pois frais écossés
10 cl d'huile
2 cuillerées à soupe de farine
2 l d'eau
Sel, poivre

1. Coupez le gras-double et le lard en dés.

2. Émincez finement l'oignon, coupez en julienne le blanc de poireau, et faites revenir le tout dans l'huile chaude.

3. Saupoudrez de farine et mouillez avec l'eau. Faites partir l'ébullition et continuez la cuisson à petits bouillons. Salez, poivrez.

4. Ébouillantez les tomates, épluchez-les, coupez-les en tranches, taillez le cœur du chou en julienne, défaites le brocoli en petits bouquets. Lavez tous ces légumes et ajoutez-les au bouillon, sans oublier les petits pois.

5. Laissez cuire rondement pendant 30 minutes. Servez bien chaud.

Mille fanti

Préparation : 15 mn
 + 5 mn
Cuisson : 2 h 15 + 25 mn

200 g de pain de mie
50 g de parmesan râpé
75 g de beurre (facultatif)
4 œufs
2 l de consommé
  de volaille (p. 47)
1 pointe de noix muscade
  râpée
Sel, poivre

1. Mettez dans une terrine le pain de mie émietté, le parmesan et les œufs battus. Vous pouvez aussi faire revenir sur feu doux la mie de pain dans 75 g de beurre. Mélangez intimement de façon à obtenir une pâte bien homogène.

2. Versez le consommé bouillant sur cette pâte tout en remuant.

3. Remettez dans la casserole, faites reprendre l'ébullition et, à partir de ce moment, comptez 10 minutes de petite ébullition. Salez, poivrez et ajoutez la muscade.

Minestra au riz à la piémontaise 🍲

Préparation : 20 mn
 + 10 mn
Cuisson : 4 h + 40 mn

1 pied de céleri
2 blancs de poireaux
2 carottes
100 g de riz
2 jaunes d'œufs
50 g de parmesan
1 cuillerée à soupe
  de persil haché
2 l de consommé blanc
  simple (p. 45)
Sel

1. Épluchez les carottes. Nettoyez le pied de céleri. Lavez tous ces légumes et coupez-les en julienne, ainsi que les poireaux.

2. Mettez-les dans une grande casserole avec le consommé. Faites cuire pendant 40 minutes.

3. Lavez le riz et faites-le cuire à part dans de l'eau salée pendant 20 minutes. Égouttez-le et ajoutez-le à la minestra.

4. Mettez les jaunes d'œufs dans la soupière et versez la minestra dessus. Mélangez avec le fouet, saupoudrez de persil haché et servez le parmesan à part.

Minestrone à la milanaise ☺

Trempage : 12 h
Préparation : 15 mn
Cuisson : 2 h

150 g de haricots blancs
  secs
1 gros oignon
1 carotte
1 poireau
1 courgette moyenne
2 tomates
500 g de pommes de terre
100 g de chou
150 g de poitrine de porc
  fumée
5 cuillerées à soupe
  d'huile
150 g de riz
  (ou de macaronis)
2 l d'eau
5 feuilles de basilic
50 g de parmesan
Sel, poivre

1. La veille, mettez les haricots blancs à tremper dans de l'eau froide.

2. Le lendemain, coupez la poitrine de porc en dés.

3. Épluchez l'oignon, le poireau, émincez-les et faites-les revenir avec la poitrine de porc dans l'huile.

4. Épluchez, lavez les pommes de terre, la carotte et le chou. Lavez la courgette, ôtez les extrémités, mais ne l'épluchez pas. Émincez tous ces légumes et ajoutez-les au poireau.

5. Faites revenir en remuant fréquemment. Mouillez avec l'eau. Salez, poivrez et ajoutez les haricots blancs puis les tomates. Faites cuire pendant 1 h 30.

6. Lavez le riz et versez-le dans la soupe ; mettez le basilic et faites cuire encore pendant 20 minutes.

7. Servez le minestrone avec le parmesan râpé, à part.

Soupe de pois chiches aux paternostri ☺

Trempage : 12 h
Préparation : 10 mn
Cuisson : 2 h 20

250 g de pois chiches
200 g de pâtes
  paternostri ou de
  macaronis
1 tranche de poitrine
  fumée
1 cuillerée à soupe de
  concentré de tomate
2 gousses d'ail
3 cuillerées à soupe
  d'huile d'olive
2 l de bouillon
Sel, poivre

1. La veille, mettez les pois chiches à tremper dans de l'eau froide.

2. Le lendemain, épluchez les gousses d'ail, écrasez-les. Mettez-les dans une grande casserole avec les pois chiches, l'huile d'olive et la tranche de poitrine fumée coupée en morceaux. Couvrez avec le bouillon, salez et faites cuire pendant 2 heures.

3. Passez les pois chiches au moulin à légumes. Détendez avec le bouillon à la consistance désirée. Ajoutez le concentré de tomate, poivrez légèrement et mettez les pâtes à cuire pendant 20 minutes environ.

4. Versez 1 rasade d'huile d'olive au moment de servir.

Soupe jamaïquaine 🍲

Préparation : 15 mn
Cuisson : 2 h 15

750 g de gîte
2 queues de porc
12 gombos
300 g de patates douces
500 g d'épinards
1 oignon
1 aubergine
300 g de chou
1 piment chili vert
50 g de beurre
300 g de petites crevettes
1 gousse d'ail
1 brin de thym
1 verre de lait de coco
3 l d'eau
Sel

1. Mettez dans une grande casserole les queues de porc et le gîte coupés en dés. Couvrez d'eau, amenez à ébullition, salez, écumez. Réduisez le feu et laissez cuire pendant 2 heures.

2. Ajoutez les patates douces épluchées, lavées et coupées en morceaux.

3. Faites fondre le beurre dans une casserole et faites cuire à l'étuvée pendant 10 minutes les épinards lavés et finement ciselés, l'oignon épluché et le chou émincés, les gombos coupés en rondelles, l'aubergine coupée en petits dés et l'ail écrasé. Ajoutez le thym.

4. Écrasez tous ces légumes et ajoutez-les à la soupe. Mettez le piment, puis les petites crevettes décortiquées que vous aurez fait blanchir auparavant pendant 5 minutes.

5. Ajoutez le lait de coco. Mélangez et retirez du feu. Servez sans attendre.

JAPON

Dachi

Préparation : aucune
Cuisson : 20 mn

2 l d'eau
200 g de bonite en
flocons
200 g de kombus (algues
comestibles séchées
que l'on trouve dans le
commerce sous forme
de poudre, ou entières

1. Faites bouillir l'eau et ajoutez les kombus. Faites cuire pendant 5 minutes en remuant de temps à autre.

2. Retirez l'algue avec l'écumoire et versez les flocons de bonite.

3. Faites repartir l'ébullition et retirez du feu dès que celle-ci est atteinte. Hors du feu, ajoutez l'algue coupée en petits morceaux.

Wakataké-jiru

Préparation : aucune
Cuisson : 15 mn

2 l de bouillon
500 g de pousses
de bambou
(en conserve)
100 g de wakamé (algue)
3 cuillerées à café
de sauce soja
Sel

1. Pochez le wakamé dans de l'eau salée pendant quelques minutes, égouttez-le et coupez-le en morceaux.

2. Faites chauffer le bouillon, ajoutez les pousses de bambou et le wakamé. Laissez cuire 4 à 5 minutes, puis ajoutez le sel et la sauce soja.

LAOS

Soupe aux aubergines 🍲

Préparation : 30 mn
Cuisson : 40 mn

700 g d'aubergines
400 g de courgettes
400 g de courge
1 gros oignon
1 gousse d'ail
2 blancs de poulet
1 citron
4 ou 5 grains
de coriandre
1 pincée de cumin
1 pincée de curcuma
1 piment chile rouge
1 cuillerée à café
de curry
200 g de pulpe de noix
de coco
1 cuillerée à café
de gingembre haché
5 cuillerées à soupe
d'huile d'arachide
2 l d'eau
Sel

1. Coupez finement en lamelles les blancs de poulet.

2. Mettez dans un mortier la coriandre, le cumin, le chile, le curcuma ; écrasez le tout avec le pilon.

3. Faites chauffer l'huile dans une casserole et faites-y revenir tout doucement l'oignon émincé, l'ail écrasé. Ajoutez les poudres d'épices, le gingembre, le curry et l'eau. Portez à ébullition, salez et faites cuire à petits bouillons pendant 15 minutes.

4. Râpez la pulpe de la noix de coco et pressez-la bien pour en extraire tout le lait. Ajoutez-le au bouillon.

5. Épluchez les courgettes, la courge. Lavez tous les légumes et coupez-les en petits dés. Ajoutez-les à la soupe, ainsi que les blancs de poulet.

6. Dès la reprise de l'ébullition, laissez cuire à petits bouillons pendant 25 minutes.

7. Retirez du feu, versez dans la soupière et ajoutez le jus de citron.

Soupe aux fèves et au boulghour 🍲

Les soupes libanaises se servent aussi dans tout le Moyen-Orient.

Trempage : 12 h
Préparation : 5 mn
Cuisson : 1 h 45

250 g de fèves sèches
200 g de boulghour fin
1 oignon
1 cuillerée à soupe
*   de coriandre fraîche*
*   hachée*
3 cuillerées à soupe
*   d'huile d'olive*
2 l de bouillon
Sel

1. La veille, mettez les fèves à tremper dans de l'eau froide.

2. Le lendemain, épluchez et émincez finement l'oignon. Faites-le tout doucement revenir dans l'huile d'olive, puis ajoutez les fèves.

3. Ajoutez le bouillon. Salez. Faites partir l'ébullition, réduisez le feu et laissez bouillotter pendant 1 h 30.

4. Ajoutez le boulghour. Continuez la cuisson pendant 15 minutes.

5. Ajoutez la coriandre hachée à la fin de la cuisson, et servez aussitôt.

Soupe de pois cassés au citron 🍲

Préparation : 5 mn
Cuisson : 1 h

300 g de pois cassés
le jus de 1 citron
1 branche de céleri
*   (sans les feuilles)*
1 cuillerée à café
*   de cumin*
1 cuillerée à soupe de
*   coriandre fraîche hachée*
2 l de bouillon
Croûtons frits dans de
*   l'huile de tournesol*
Sel

1. Lavez et coupez le céleri en petits morceaux. Mettez-le dans une marmite avec les pois cassés.

2. Couvrez avec le bouillon. Salez. Ajoutez le cumin et faites partir l'ébullition. Réduisez le feu et faites cuire pendant 45 minutes.

3. Quand les pois sont cuits, réduisez-les en purée.

4. Remettez-les dans la marmite, ajoutez le jus de citron. Rallongez d'un peu de bouillon si c'est nécessaire.

5. Donnez une ébullition et retirez du feu. Parsemez de coriandre et servez avec les croûtons frits.

Harira 🍲

Trempage : 12 h
Préparation : 10 mn
Cuisson : 2 h 15

350 g de mouton
50 g de beurre
1 gros oignon
125 g de pois chiches
3 branches de persil
  haché
1/2 cuillerée à café
  de gingembre en poudre
1 pincée de safran
75 g de couscous
20 g de levure
  de boulanger
4 tomates
1 cuillerée à soupe
  de coriandre fraîche
2,5 l d'eau
Sel

1. La veille, faites tremper les pois chiches dans de l'eau froide.

2. Le lendemain, coupez la viande en dés, mettez-la dans une casserole avec 1,5 l d'eau, 30 g de beurre, les pois chiches égouttés, l'oignon émincé, le gingembre puis le safran. Portez le tout à ébullition, écumez, salez et laissez mijoter 2 heures.

3. Pendant ce temps, faites cuire les grains de semoule dans de l'eau à laquelle vous ajouterez 20 g de beurre. Laissez cuire 20 minutes.

4. Trente minutes avant la fin de la cuisson de la viande, délayez la levure avec l'eau restante, ajoutez la coriandre, la pulpe de tomate, salez. Ajoutez les grains de couscous, remettez sur le feu et laissez bouillir pendant 15 minutes.

5. Au moment de servir, ajoutez la viande, ses légumes et son bouillon au bouillon contenant la levure et les tomates. Saupoudrez de persil haché.

MEXIQUE

Menudo☙

Préparation : 20 mn
Cuisson : 4 h

*1 kg de tripes achetées
déjà préparées
1 pied de veau
1 boîte de 500 g
de grains de maïs
2 gros oignons
1 piment chile rouge
3 gousses d'ail
1 cuillerée à café
d'origan
2 pincées de coriandre
3 l d'eau
Sel, poivre*

1. Rafraîchissez les grains de maïs à l'eau courante et passez-les au mixeur.

2. Nettoyez soigneusement le pied de veau, mettez-le dans une marmite avec l'eau. Laissez cuire 1 heure à petite ébullition, puis ajoutez les tripes, 1 oignon épluché et haché, les gousses d'ail, l'origan, la coriandre ; salez, poivrez et faites cuire pendant 2 h 30.

3. Ajoutez alors la purée de maïs et laissez cuire encore 30 minutes.

4. Servez le menudo accompagné d'un autre oignon haché cru, du chile haché, les deux servis à part.

OCÉAN INDIEN

Mouloucoutani☙

Préparation : 15 mn
Cuisson : 2 h 15

*1 petite poule
50 g de saindoux
1 gros oignon
1 tomate
2 gousses d'ail
1 cuillerée à soupe
de gingembre haché
1 bouquet garni
(thym et persil)
1 cuillerée à soupe
de curry
1 cuillerée à café
de pâte indienne
3 l d'eau
Sel*

1. Épluchez, hachez finement l'oignon. Ébouillantez la tomate afin de mieux l'éplucher, retirez les graines.

2. Faites fondre le saindoux et faites revenir tout doucement la poule dans la graisse. Retirez-la et coupez-la en morceaux. Dans cette même graisse, faites fondre l'oignon et la pulpe de tomate.

3. Ajoutez le curry, l'ail écrasé, le gingembre, le bouquet garni. Mélangez tous ces ingrédients et mettez les morceaux de poule. Mouillez petit à petit avec l'eau. Salez. Dès que l'ébullition commence, réduisez le feu et laissez mijoter 2 heures.

4. Avant de servir, prélevez 3 cuillerées à soupe de bouillon pour délayer la pâte indienne que vous ajouterez à la soupe.

Bortsch polonais 🍲

Préparation : 40 mn
Cuisson : 2 h 45

500 g de betteraves
  rouges crues
200 g de chou pommé
1 gros oignon
2 blancs de poireaux
1 kg de poitrine de bœuf
500 g de jambonneau
1 bouquet garni
2 cuillerées à soupe de
  fenouil ou d'aneth
1 cuillerée à soupe
  de persil
50 g de champignons
  séchés
50 g de beurre
50 cl de crème aigre
3 l d'eau
Sel

Pour la kacha :
500 g de grains
  de sarrasin
75 g de beurre
1 l d'eau
Sel

1. Préparez la kacha : écrasez grossièrement les grains et mettez-les à tremper dans de l'eau tiède. Salez, mélangez cette pâte, versez-la dans un moule à charlotte et faites cuire au four 2 heures.

2. Blanchissez la poitrine de bœuf et le jambonneau dans de l'eau bouillante salée pendant 5 minutes. Égouttez la viande. Conservez le bouillon.

3. Épluchez les betteraves (réservez-en une), l'oignon, le chou. Lavez ces légumes et coupez-les en julienne, ainsi que les blancs de poireaux. Faites fondre le beurre dans une casserole et faites-y revenir tout doucement tous les légumes.

4. Mouillez avec le bouillon, ajoutez les viandes, le bouquet garni, amenez à ébullition, puis laissez mijoter pendant 1 h 30.

5. Retirez la croûte qui s'est formée à la surface de la pâte de sarrasin et ajoutez 40 g de beurre à cette pâte compacte. Mélangez bien avec la spatule et pressez la pâte entre deux couvercles le temps qu'elle refroidisse.

6. Épluchez la betterave réservée, râpez-la pour en extraire 10 cl de jus et mélangez à ce jus le fenouil (ou l'aneth) et le persil haché. Mettez les champignons secs à tremper dans un peu d'eau chaude.

7. Dix minutes avant la fin de la cuisson du bortsch, pressez les champignons et ajoutez-les à la soupe.

8. Coupez dans la kacha des ronds à l'emporte-pièces que vous ferez frire dans le beurre.

9. En fin de cuisson du bortsch, ajoutez le jus de betterave. Servez les viandes coupées à part, et accompagnez le bortsch de crème aigre et de kacha.

Chlodnik 🍲

Préparation : 10 mn
Cuisson : 40 mn

1 gros concombre
200 g de fenouil
1 grosse poignée
  d'oseille
Le jus de 1 citron
6 œufs durs
25 cl de crème aigre
200 g de jambon haché
200 g de queues
  d'écrevisses
  décortiquées et cuites
2 l d'eau
Sel, poivre

1. Épluchez le concombre. Coupez les légumes en morceaux après les avoir lavés et mettez-les dans une casserole avec l'eau et le sel. Faites cuire à petits bouillons pendant 40 minutes dès que l'ébullition a commencé. Poivrez.

2. Passez la soupe à l'étamine et laissez-la refroidir d'abord à la température ambiante, puis au réfrigérateur pour qu'elle soit bien froide.

3. Écrasez les œufs durs dans les assiettes.

4. Au moment de servir, ajoutez le jus de citron, le jambon haché et les queues d'écrevisses. Servez la crème aigre à part.

Chotodriek 🍲

Préparation : 20 mn
Cuisson : 5 mn

400 g de betterave rouge
  cuite
2 œufs durs
2 gros concombres
200 g de queues
  d'écrevisses
  décortiquées et cuites
1 cuillerée à soupe
  de ciboulette hachée
1 feuille de fenouil
  hachée
10 g de levure
  de boulanger
1 l de lait caillé
1,5 l de saumure
  de concombre

1. Faites bouillir la saumure avec la levure et adjoignez-lui le lait caillé. Laissez refroidir.

2. Épluchez la betterave et coupez-la en fines rondelles ainsi que les concombres et les œufs durs. Mettez ces ingrédients dans une soupière avec les queues d'écrevisses et versez dessus la saumure à laquelle est mélangé le lait.

3. Parsemez de ciboulette et de fenouil, et laissez refroidir au réfrigérateur jusqu'au moment de servir.

Caldo verde 🍲

Préparation : 15 mn
Cuisson : 30 mn

3 pommes de terre
de bonne grosseur
1 saucisse chorizo
1 chou botte
(500 g environ)
1,5 l d'eau
Huile d'olive
Sel

1. Épluchez, lavez les pommes de terre. Coupez-les en morceaux, mettez-les dans l'eau froide avec le sel. Commencez la cuisson et faites cuire à petits bouillons pendant 20 minutes.

2. Pendant ce temps, lavez les feuilles du chou botte. Égouttez-les et coupez-les finement.

3. Tronçonnez le chorizo. Ajoutez-le à la soupe ainsi que les feuilles de chou ciselées, et continuez la cuisson pendant 10 minutes.

4. Au moment de servir, versez 1 rasade d'huile d'olive dans la soupière.

Soupe aux haricots rognons-de-coq 🍲

Trempage : 12 h
Préparation : 10 mn
Cuisson : 1 h 45

400 g de haricots rouges
rognons-de-coq
2 poignées de feuilles
de chou botte
2 poignées de vermicelles
Huile d'olive
2 l d'eau
Sel

1. La veille, mettez les haricots à tremper dans de l'eau froide.

2. Le lendemain, mettez-les dans une grande casserole, couvrez d'eau, salez et faites cuire à petits bouillons pendant 1 h 30.

3. Avec une écumoire, sortez la moitié des haricots du bouillon. Passez-les au presse-purée. Remettez dans la casserole.

4. Dix minutes avant la fin de la cuisson, ajoutez les feuilles de chou botte lavées et ciselées aux haricots.

5. Cinq minutes avant la fin de la cuisson, ajoutez les vermicelles.

6. Au moment de servir, versez 1 rasade d'huile d'olive.

Soupe de mariage ⊜

Trempage : 12 h
Préparation : 20 mn
Cuisson : 1 h 45

1 poulet fermier
200 g de haricots
* soissons*
150 g de pâtes fines
* genre étoile*
2,5 l d'eau
1 feuille de laurier
Sel

1. La veille, mettez les haricots soissons à tremper dans de l'eau froide.

2. Le lendemain, faites-les cuire dans de l'eau pendant 1 h 30. Égouttez.

3. Pendant ce temps, mettez le poulet dans une grande marmite, couvrez avec l'eau, salez, mettez la feuille de laurier, faites partir la cuisson. Réduisez le feu et laissez mijoter pendant 1 h 30.

4. Passez les haricots au presse-purée. Réservez.

5. La cuisson étant achevée, retirez le poulet du bouillon, enlevez la peau et émiettez les chairs. Mettez-les dans le bouillon, ajoutez la purée de soissons. Mélangez bien et jetez les pâtes, que vous faites cuire pendant 10 minutes.

6. Mélangez bien avant de servir.

QUÉBEC

Bouillon de relevailles ⊜

Préparation : 10 mn
Cuisson : 2 h

1 poule
2 carottes
1 branche de céleri
1 oignon
1 feuille de laurier
1 cuillerée à soupe
* de persil*
40 g de beurre
3 l d'eau
Sel

1. Coupez la poule en morceaux. Faites-la revenir dans le beurre chaud. Égouttez-la. Mettez ces morceaux dans une marmite avec la feuille de laurier. Couvrez d'eau. Salez et faites partir l'ébullition. Réduisez le feu et laissez mijoter pendant 1 heure.

2. Pendant ce temps, préparez les légumes. Épluchez-les, lavez-les et coupez-les en morceaux.

3. Ajoutez-les au bouillon ainsi que le persil haché et continuez la cuisson pendant encore 1 heure. Servez chaud.

Soupe aux gourganes
(voir recette page 242)

Soupe à la citronnelle
(voir recette page 253)

Soupe au bœuf haché 🍲

Préparation : 10 mn
Cuisson : 2 h

600 g de bœuf haché
1 pomme de terre
1 carotte
200 g de chou du Siam
1 cuillerée à soupe
  de persil
  et de ciboulette hachés
100 g de riz
2,5 l d'eau
Sel, poivre

1. Mettez le bœuf haché dans une casserole avec l'eau. Amenez à ébullition et laissez mijoter pendant 1 heure.

2. Pendant ce temps, épluchez, lavez et émincez tous les légumes. Mettez-les avec la viande et laissez cuire tranquillement pendant encore 1 heure. Salez, poivrez. Vingt minutes avant la fin de la cuisson, ajoutez le riz.

3. Au moment de servir, ajoutez le persil et la ciboulette.

Soupe aux fines herbes 🍲

Préparation : 20 mn
  + 20 mn
Cuisson : 4 h + 1 h

100 g de chou vert
Les queues de 1 bottillon
  de ciboulette
100 g de laitue
100 g de cresson
2 cuillerées à soupe
  de céleri haché
1 cuillerée à soupe
  de cerfeuil
1 cuillerée à soupe
  de persil
1 branche de sarriette
1 feuille de sauge
100 g de vermicelles
40 g de beurre
2 l de consommé de bœuf
  (p. 45) ou de bouillon

1. Préparez les légumes et les herbes : lavez-les et hachez-les grossièrement. Mettez-les dans le bouillon. Portez à ébullition. Réduisez le feu et laissez bouillotter tranquillement pendant 1 heure.

2. Dix minutes avant la fin de la cuisson, ajoutez les vermicelles, puis le beurre au moment de servir.

Soupe aux gourganes ☕

Trempage : 12 h
Préparation : 10 mn
Cuisson : 2 h

200 g de gourganes
  (fèves séchées)
1 oignon
50 g d'orge
1 carotte
100 g de chou du Siam
1 os de bœuf
1 tranche de poitrine
  de porc fumée
2 cuillerées à soupe
  de persil
  et de ciboulette hachés
2,5 l d'eau
Sel

1. La veille, mettez les fèves à tremper.

2. Le lendemain, mettez l'os et la poitrine de porc fumée avec l'eau dans une marmite. Laissez prendre l'ébullition, réduisez et laissez mijoter pendant 1 heure. Ajoutez alors les fèves, l'orge et les légumes préparés au préalable. Salez, ajoutez le persil et la ciboulette, et faites encore une petite cuisson de 1 heure.

Soupe à l'ivrogne ☕

Désignée ainsi par ironie, cette soupe se révèle en effet excellente et réconfortante les lendemains de grande boisson.

Préparation : 5 mn
Cuisson : 45 mn

1 gros oignon
2 cuillerées à soupe
  de persil
  et de ciboulette hachés
4 tranches de pain
30 g de beurre
1,5 l d'eau
Sel

1. Épluchez et coupez l'oignon en dés.

2. Mettez les tranches de pain dans une grande casserole avec l'eau, le persil, la ciboulette et l'oignon. Salez et amenez à ébullition.

3. Réduisez le feu et laissez cuire doucement pendant 45 minutes.

4. Au moment de servir, ajoutez le beurre.

Soupe aux petites fèves jaunes 🍲

Préparation : 5 mn
Cuisson : 1 h

500 g de fèves fraîches
  épluchées et
  débarrassées de leur
  seconde peau
1 bottillon de ciboulette
  hachée
1 oignon
30 g de beurre
2 l de bouillon
100 g de vermicelles
Sel

1. Mettez les fèves dans une grande casserole avec la ciboulette hachée, l'oignon épluché et émincé finement. Couvrez avec le bouillon, salez. Dès la prise de l'ébullition, réduisez le feu et faites cuire tranquillement pendant 45 minutes.

2. Dix minutes avant la fin de la cuisson, ajoutez les vermicelles, puis, avant de servir, jetez dans la soupe le morceau de beurre. Servez après avoir bien mélangé.

Soupe aux tomates vertes 🍲

Préparation : 15 mn
Cuisson : 40 mn

3 tomates vertes
1 oignon
40 g de farine
40 g de beurre
25 cl de lait
1 pincée de clous
  de girofle
1/2 cuillerée à café
  de cannelle en poudre
1 cuillerée à café
  de sucre en poudre
1 cuillerée à café de soda
  en pâte (bicarbonate
  de soude)
1,5 l d'eau
Sel

1. Épluchez les tomates et tranchez-les finement. Mettez-les dans la marmite avec l'oignon épluché et finement haché, la cannelle, le clou de girofle, le sucre, le sel et l'eau. Portez à ébullition et cuisez rondement jusqu'à ce que les tomates se défassent. Comptez environ 20 minutes. Vous ajoutez alors le soda en pâte.

2. Pendant que les tomates cuisent, faites fondre le beurre dans une casserole, ajoutez la farine, mouillez avec le lait en tournant sans arrêt pour éviter la formation de grumeaux. Versez la préparation aux tomates dans cette sauce, mélangez bien l'ensemble et servez aussitôt.

Batwinia ☙

Préparation : 20 mn
Cuisson : 30 mn

400 g d'épinards
250 g d'oseille
300 g de concombre
1 oignon
1 cuillerée à soupe
* de fenouil haché*
1 cuillerée à café
* de raifort*
Le zeste de 1 citron
1 pointe de sucre
4 cuillerées à soupe
* d'huile*
250 g de chair de crabe
* cuite*
500 g de saumon
2 l de kwas (bière à base
* de moûts de seigle et*
* d'orge, aromatisée*
* à la menthe ou*
* aux baies de genièvre)*
100 g de feuilles de
* betterave (facultatif)*
Sel

1. Lavez les épinards, les feuilles de bette-rave et l'oseille, émincez-les finement et faites fondre tout doucement ces légumes dans l'huile. Passez-les ensuite au tamis fin.

2. Pochez le saumon dans l'eau frémissante salée pendant 15 minutes. Égouttez-le. Otez la peau.

3. Épluchez le concombre, ôtez les graines et coupez-le en petits dés.

4. Mettez dans la soupière la chiffonnade de légumes verts, le concombre, l'oignon, le fenouil, le raifort, le zeste de citron, le sucre, le sel, le kwas, le saumon et la chair de crabe. Mélangez le tout et mettez la soupe au réfrigérateur jusqu'au moment de servir.

Bortsch ☙☙

Il existe plusieurs sortes de bortschs, qui, en général, portent le nom de la région où ils sont préparés. Les ingrédients que l'on y met alors sont fonction de la production locale. Mais la base est invariable, il y a tou-jours de la betterave et du chou.

Préparation : 40 mn
Cuisson : 5 h 30

1 kg de betteraves
1 petit chou frisé
2 carottes
1 tomate

1. Réservez 1 betterave et faites cuire les autres au four pendant 4 heures, ou à l'eau pendant 2 heures.

2. Pendant ce temps, mettez le canard à dorer au four avec un peu de beurre pour 30 minutes environ. Égouttez-le.

Bortsch *(suite)*

1 bouquet de queues
de persil
1 petit canard
1 kg de poitrine de bœuf
1 oignon
1 cuillerée à soupe
de persil haché
1 feuille de laurier
Beurre
3 l d'eau
Sel, poivre

3. Dans une grande marmite, mettez la viande de bœuf ainsi que le canard, l'oignon épluché, le laurier, les queues de persil, l'eau. Portez à ébullition, salez, poivrez, écumez.

4. Ajoutez alors les carottes et la tomate épluchées, lavées et coupées en morceaux, le chou coupé en julienne. Laissez mijoter pendant 3 heures.

5. Épluchez la betterave crue laissée en réserve et râpez-la pour en extraire le jus. Épluchez les betteraves cuites, hachez-les et réservez-les.

6. Retirez les viandes, coupez-les en morceaux et remettez-les dans le bortsch.

7. Quelques minutes avant de servir, mettez les betteraves hachées dans la soupe, faites reprendre une ébullition et retirez du feu.

8. Ajoutez le jus de betterave, mélangez bien, saupoudrez de persil haché. Vous pouvez servir le bortsch accompagné de kacha (voir Bortsch polonais, p. 237).

Ouka 🍲

Préparation : 40 mn
Cuisson : 1 h

500 g de tanche
ou de perche
4 lavarets (poisson voisin
de la truite)
1 racine de persil
1 cuillerée à soupe
de fenouil haché
2 têtes de champignons
(de Paris, par exemple)
2 blancs de poireaux
3 branches de céleri
40 g de beurre
2 l d'eau
Sel

1. Nettoyez les poissons.

2. Mettez dans une grande casserole la tanche ou la perche, la racine de persil, le fenouil, les champignons, l'eau. Amenez jusqu'à l'ébullition, salez et laissez frémir pendant 20 minutes.

3. Passez le bouillon, retirez la peau, les arêtes du poisson et hachez les chairs, que vous réserverez.

4. Prélevez les filets des lavarets, roulez-les comme des paupiettes. Mettez un fond d'eau dans un plat et pochez-les pendant 15 minutes dans le four préalablement chauffé.

5. Lavez les blancs de poireaux et le céleri ; détaillez-les en fine julienne que vous faites fondre dans le beurre chaud. Mouillez de 5 cuillerées à soupe de bouillon et laissez cuire 10 minutes.

6. Faites chauffer le bouillon et ajoutez-lui les paupiettes de lavaret, la julienne de légumes, et la chair de poisson hachée. Laissez 1 minute sur le feu. Servez l'ouka avec de la kacha (voir Bortsch polonais, p. 237).

Rassolnik

Dégorgement : 2 h
Préparation : 30 mn
Cuisson : 1 h 15

700 g de concombre
1 gros oignon
3 carottes
2 rognons de veau
4 pommes de terre
4 racines de persil
1 pied de céleri
1 feuille de laurier
20 cl de crème aigre
3 l d'eau
Gros sel

1. Épluchez les concombres, coupez-les en rondelles, mettez-les dans un plat creux et recouvrez-les avec 2 cuillerées à soupe de gros sel. Laissez-les dégorger pendant 2 heures. Passez le jus obtenu.

2. Lavez les concombres et épongez-les.

3. Mettez les rognons de veau débarrassés en partie de leur graisse dans une grande casserole ; couvrez d'eau. Portez à ébullition, écumez et laissez cuire à feu vif pendant 15 minutes.

4. Retirez-les avec une écumoire, passez-les à l'eau froide et remettez dans la casserole. Salez et laissez cuire encore 30 minutes avec le céleri, le laurier, les carottes, l'oignon, les racines de persil, tous ces légumes ayant été au préalable épluchés, lavés et taillés en morceaux.

5. Retirez les rognons. Passez le bouillon au tamis fin, remettez sur le feu et ajoutez les pommes de terre épluchées, lavées et coupées en morceaux. Laissez cuire 30 minutes.

6. Mettez alors dans la soupe les rognons coupés en lamelles, les concombres et un peu de jus de macération ainsi que la crème aigre. Faites reprendre une ébullition et servez aussitôt.

Stschy 🍲

Préparation : 15 mn
Cuisson : 2 h 45

1 kg de poitrine de bœuf
2 gros oignons
1 petit chou
1 bouquet garni
125 g de semoule
(facultatif)
40 g de beurre
10 cl de crème aigre
2,5 l d'eau
1 cuillerée à soupe
de fenouil haché
Sel, poivre

1. Coupez la poitrine de bœuf en morceaux et blanchissez-la pendant 15 minutes dans de l'eau salée. Égouttez-la.

2. Épluchez les oignons, le chou. Taillez ces légumes en julienne et faites-les revenir dans le beurre.

3. Mouillez avec le bouillon passé au chinois et ajoutez la viande et le bouquet garni. Poivrez. Portez à ébullition et laissez mijoter pendant 2 h 30.

4. Trente minutes avant la fin de la cuisson, ajoutez éventuellement la semoule.

5. Au moment de servir, ajoutez la crème aigre, puis le fenouil haché.

Svelkolnik 🍲

Préparation : 15 mn
+ 30 mn
Cuisson : 2 h 15 + 1 h

750 g de betteraves rouges
crues (avec les fanes)
3 grosses pommes
de terre
2 carottes
2 navets
4 œufs durs
1 oignon
10 cl de crème aigre
100 g de concombre
2 verres d'eau mélangés
par moitié de vinaigre
de vin
1 cuillerée à café
de sucre en poudre
1 verre de kwas (voir
Batwinia, p. 244)
1 cuillerée à soupe
de fenouil haché
2 l de consommé
de volaille
(p. 47)
Sel

1. Épluchez les betteraves, coupez-les en morceaux et faites-les cuire tout doucement à l'étuvée avec l'eau vinaigrée pendant 1 heure.

2. Dix minutes avant la fin de la cuisson, ajoutez les fanes de betterave. Lorsque le tout est cuit, retirez du feu et laissez refroidir.

3. Pendant ce temps, faites cuire les pommes de terre en robe des champs dans de l'eau salée pendant 30 minutes. Égouttez-les et laissez-les refroidir.

4. Épluchez les carottes et les navets. Faites-les cuire entiers dans de l'eau salée 30 minutes. Égouttez-les et laissez-les refroidir.

5. Lorsque les pommes de terre auront refroidi, épluchez-les, coupez-les en dés ainsi que les carottes et les navets. Ajoutez l'oignon haché, les œufs durs hachés, les betteraves et les fanes avec leur jus de cuisson, le concombre épluché et coupé en dés.

6. Mettez aussi le sucre, le kwas, la crème, le fenouil et le consommé. Mélangez longuement le tout et mettez à rafraîchir au réfrigérateur jusqu'au moment de servir.

Velouté sénégalais 🍲

Préparation : 15 mn
+ 15 mn
Cuisson : 2 h 15 + 50 mn

*2 blancs de poulet
de 200 g environ
1 oignon
30 g de beurre
30 g de farine
2 cuillerées à café
de curry
4 jaunes d'œufs
1,5 l de consommé
de volaille (p. 47)
Sel*

1. Faites cuire les blancs de poulet à la vapeur pendant 30 minutes. Coupez-les en petits morceaux dès qu'ils sont refroidis. Réservez.

2. Épluchez, émincez l'oignon. Faites chauffer le beurre et mettez l'oignon à fondre tout doucement.

3. Saupoudrez avec la farine, ajoutez le curry puis mouillez avec le bouillon tout en remuant vivement. Amenez à ébullition sans cesser de tourner. Réduisez le feu et laissez cuire 10 minutes en surveillant la cuisson.

4. Passez à l'étamine. Versez sur les jaunes d'œufs battus, redonnez un bref bouillon.

5. Retirez du feu. Rectifiez l'assaisonnement si besoin et ajoutez les morceaux de poulet.

6. Laissez refroidir à température ambiante et mettez au réfrigérateur. Servez frais dans des bols présentés sur de la glace pilée.

Svartsoppa 🍲

Préparation : 20 mn
Repos : 1 h
Cuisson : 2 h 40

*250 g de pois cassés
1 oignon
1 bouquet garni
Les abattis de 1 oie
20 cl de sang d'oie
20 cl de sang de porc
1 verre de vin rouge*

1. Épluchez les pommes, ôtez le cœur, coupez-les en morceaux et mettez-les dans une casserole avec les pruneaux dénoyautés, le sucre et 1 verre d'eau. Faites-les cuire 10 minutes. Passez le jus, réservez.

2. Faites cuire les pois cassés avec le bouquet garni, l'oignon épluché et émincé et les abattis d'oie dans de l'eau salée pendant 1 h 30.

3 cuillerées à soupe
   de vinaigre
1 cuillerée à café
   de gingembre râpé
1 verre à liqueur
   de cognac
3 pommes
6 pruneaux
75 g de sucre
1 cuillerée à soupe
   de farine
2 l d'eau
Sel

3. Pendant ce temps, mélangez le sang avec le vin et le vinaigre, et délayez la farine avec le mélange. Ajoutez le gingembre et laissez reposer pendant 1 heure, puis passez le mélange.

4. Passez aussi la soupe à l'étamine après avoir retiré les abattis d'oie, et ajoutez la sauce au sang. Remettez le tout dans la casserole et mettez sur le feu pour donner juste une ébullition.

5. Retirez du feu et ajoutez à ce moment-là le jus des fruits et le verre de cognac. Servez sans attendre.

SUISSE

La Suisse a autant de spécialités qu'elle a de cantons ; certains ont une frontière commune avec la France, l'Italie ou l'Allemagne. Un choix est toujours arbitraire : ne pouvant mentionner les soupes de tous les cantons, nous avons retenu les soupes typiques des cantons les plus connus.

BERNE

Soupe des accouchées 🍲

Préparation : 10 mn
Cuisson : 2 h

1 poule
1 carotte
1 branche de céleri
1/2 bottillon de ciboulette
   hachée
1 branche de persil
2 gousses d'ail
1 feuille de laurier
4 œufs entiers
50 cl de lait
2 l d'eau
Noix muscade
Sel, poivre

1. Épluchez la carotte, lavez-la ainsi que le céleri. Mettez les légumes dans une marmite avec la poule. Ajoutez l'eau, le persil, le laurier, la ciboulette, les gousses d'ail épluchées. Salez, poivrez, muscadez et faites partir l'ébullition, puis laissez bouillotter pendant 2 heures.

2. Faites bouillir le lait. Ajoutez-le à la soupe.

3. Retirez la poule de la soupe. Coupez-la en morceaux et tenez au chaud.

4. Versez le bouillon sur les œufs battus tout en fouettant énergiquement. Servez sans attendre.

FRIBOURG

Soupe au vin 🍲

Préparation : 15 mn
 + 15 mn
Cuisson : 2 h 15 + 1 h 20

25 cl de vin rouge
1,5 l de bouillon de
 volaille (p. 47)
40 g de beurre
3 carottes
2 blancs de poireaux
1 navet
1 oignon
100 g de tapioca
Sel, poivre

1. Épluchez, lavez et émincez finement tous les légumes.

2. Faites fondre le beurre dans une marmite et mettez les légumes. Lorsqu'ils sont légèrement dorés, mouillez avec le vin rouge et laissez réduire. Comptez 20 minutes environ.

3. Écrasez les légumes avec une fourchette. Ajoutez le bouillon de volaille. Salez, poivrez. Laissez mijoter pendant 1 heure.

4. Quinze minutes avant la fin de la cuisson, ajoutez le tapioca. Remuez. Servez bien chaud.

GENÈVE

Soupe au riz 🍲

Préparation : 15 mn
Cuisson : 2 h 15 + 20 mn

100 g de riz
1,5 l de consommé
 de volaille (p. 47)
2 œufs
Sel

1. Portez le consommé à ébullition, jetez le riz dans le bouillon et laissez mijoter pendant 20 minutes. Salez si c'est nécessaire.

2. Battez les œufs dans la soupière. Versez le riz et le bouillon dessus tout en fouettant. Servez bien chaud.

GRISONS

Soupe de Pratigau 🍲

Trempage : 12 h
Préparation : 5 mn
Cuisson : 3 h

700 g de viande de bœuf
100 g de jambon
1 os de jambon
100 g d'orge
100 g de haricots blancs
secs
1 oignon piqué de clous
de girofle
1 bouquet garni
3 l d'eau
Sel

1. La veille, mettez les haricots et l'orge à tremper séparément dans de l'eau froide.

2. Le lendemain, mettez la viande de bœuf et le jambon, l'os de jambon, les haricots, l'orge, le bouquet garni et l'oignon dans une marmite. Couvrez d'eau et amenez à ébullition. Salez, réduisez le feu et faites cuire tout doucement pendant 3 heures. Servez la viande à part.

SCHWYZER

Schwyzer Kabisuppe 🍲

Préparation : 15 mn
Cuisson : 40 mn

1 petit chou vert
250 g de poitrine de porc
fumée
150 g de riz
40 g de beurre
75 g de gruyère râpé
2 l de bouillon
1 pointe de noix muscade
râpée
Sel, poivre

1. Défaites le chou et blanchissez les feuilles pendant 5 minutes dans de l'eau bouillante salée. Égouttez-les.

2. Mettez le beurre dans une casserole, portez-le à feu doux. Ajoutez la poitrine de porc taillée en cubes. Ajoutez les feuilles de chou ciselées. Faites étuver doucement pendant 10 minutes.

3. Ajoutez le bouillon, le riz, la pointe de muscade. Salez, poivrez et laissez mijoter pendant 20 minutes.

4. Rectifiez l'assaisonnement si nécessaire et servez accompagné de gruyère râpé.

UNTERWALD

Porc en pot-au-feu 🍲

Préparation : 20 mn
Cuisson : 2 h 05

800 g de carré de porc
3 carottes
1 poireau
1 oignon
3 pommes de terre
150 g de haricots verts
150 g de céleri-rave
50 g de saindoux
1 branche de marjolaine
1 cuillerée à soupe
  de ciboulette ciselée
3 l d'eau
Sel, poivre

1. Épluchez, lavez et coupez en morceaux tous les légumes.

2. Faites chauffer le saindoux et mettez la viande à revenir pendant 10 minutes. Réservez.

3. Faites revenir séparément chaque légume et, à l'exception des pommes de terre, faites-les rejoindre le carré de porc en attente.

4. Quand tous les légumes sont revenus, mettez-les dans la marmite avec la marjolaine. Salez, poivrez. Couvrez d'eau et faites partir l'ébullition. Laissez mijoter pendant 1 h 15.

5. Ajoutez les pommes de terre. Continuez la cuisson pendant 30 minutes.

6. Retirez du feu, parsemez de ciboulette et servez bien chaud comme un pot-au-feu.

URI

Soupe au fromage d'Altdorf 🍲

Préparation : aucune
Cuisson : 30 mn

150 g de gruyère râpé
2 gousses d'ail
1 cuillerée à café
  de graines de carvi
1 pointe de noix muscade
  râpée
50 g de beurre
50 g de farine
1,75 l de bouillon
25 cl de lait
Sel, poivre

1. Faites fondre le beurre dans une casserole. Ajoutez la farine. Mouillez avec le lait.

2. Ajoutez les graines de carvi, les gousses d'ail, la pointe de muscade, puis le bouillon. Salez et poivrez. Portez à ébullition. Réduisez le feu et laissez bouillotter pendant 20 minutes.

3. Mettez le fromage râpé dans la soupière. Versez la soupe dessus, mélangez vivement et servez aussitôt.

THAÏLANDE

Soupe à la citronnelle 🍲

Préparation : 25 mn
Cuisson : 30 mn

300 g de crevettes cuites
3 petits piments rouges
1 cuillerée à soupe de
copeaux de citronnelle
1 cuillerée à soupe
de nuoc-mâm
400 g de chou chinois
Le jus de 1 citron vert
1 cuillerée à soupe
de coriandre fraîche
ciselée
1,5 l de bouillon
Sel

1. Décortiquez les crevettes. Réservez.

2. Mettez les têtes dans une casserole avec le bouillon. Ajoutez le nuoc-mâm, la citronnelle, les petits piments rouges, le bouillon. Salez. Faites cuire doucement pendant 20 minutes.

3. Passez au tamis. Remettez dans la marmite.

4. Lavez et taillez en julienne le chou chinois. Mettez-le dans la marmite. Ajoutez les crevettes. Faites cuire pendant 10 minutes.

5. Retirez du feu. Ajoutez le jus de citron, la coriandre et servez bien chaud.

TUNISIE

Sédir 🍲

Préparation : 10 mn
Cuisson : 45 mn

750 g de tomates
4 cuillerées à soupe
d'huile
1 bouquet de persil
1 branche de céleri
1 cuillerée à soupe
de câpres
2 gousses d'ail
4 ou 5 graines de carvi
75 g de semoule grain
moyen
2 l d'eau
Sel, poivre

1. Ébouillantez les tomates, épluchez-les, retirez les graines et faites fondre tout doucement la pulpe dans l'huile chaude.

2. Ajoutez le persil, le céleri, l'ail épluché et écrasé et le carvi. Mouillez avec l'eau, salez, poivrez, faites partir l'ébullition et laissez cuire à petit feu pendant 30 minutes.

3. Passez alors au tamis fin, remettez sur le feu et ajoutez la semoule. Laissez cuire 10 minutes sans cesser de remuer afin d'éviter la formation de grumeaux.

4. Lorsque la semoule est cuite, retirez du feu et ajoutez les câpres. Servez chaud.

Potage aux ailerons de requin 🍲🍲

Trempage : 1 h
Préparation : 15 mn
+ 5 mn
Cuisson : 2 h 15 + 1 h

400 g d'aileron de requin
2 l de consommé
de volaille (p. 47)
1 cuillerée à soupe
d'échalotes hachées
3 pincées de gingembre
1/2 cuillerée à café
d'estragon
1 pincée de glutamate
1 cuillerée à café
de vinaigre

1. Mettez l'aileron de requin à tremper dans de l'eau chaude pendant 1 heure.

2. Égouttez-le et détachez les morceaux de viande. Mettez ces petites lamelles de viande dans le consommé de volaille avec l'échalote. Laissez cuire 1 heure.

3. Quelques minutes avant la fin de la cuisson, ajoutez au bouillon l'estragon, le glutamate et le gingembre. Terminez la cuisson et, au moment de servir, versez le vinaigre.

Potage aux nids d'hirondelles 🍲

Préparation : 15 mn
Cuisson : 2 h 15 + 20 mn

8 nids d'hirondelles
8 œufs de pigeon
2 l de consommé
de volaille (p. 47)
2 pincées de glutamate

1. Mettez les nids dans l'eau chaude pendant 10 minutes. Rincez-les soigneusement pour enlever les impuretés s'il en restait.

2. Faites chauffer le consommé et jetez les nids dedans. Mettez le glutamate et faites cuire 5 minutes.

3. Pochez les œufs dans ce bouillon pendant 3 minutes. Servez dans des bols.

Soupe aux abalones 🍲

Préparation : 5 mn
Cuisson : 30 mn

*1 boîte d'abalones
    (sortes d'ormeaux)
200 g de riz
30 g de beurre
1 oignon
2 gousses d'ail
1/2 cuillerée à café
    d'estragon haché
1 pointe de piment
Glutamate
2 l d'eau
Sel*

1. Faites cuire le riz dans de l'eau salée après l'avoir lavé.

2. Faites revenir les abalones (dont vous aurez conservé le jus) dans du beurre avec l'oignon épluché et haché, et les gousses d'ail écrasées.

3. Lorsque l'oignon a pris une jolie couleur blonde, ajoutez le tout à la soupe au riz ainsi que le jus des abalones.

4. Mettez le glutamate, le piment et l'estragon haché et servez dans des bols.

Soupe à l'ananas 🍲

Préparation : 15 mn
Cuisson : 45 mn

*1 kg de poisson blanc
    à chair ferme (lotte,
    congre, etc.)
5 tranches d'ananas
    en boîte (ou frais)
1 grosse tomate
1/2 cuillerée à café
    de basilic
1/2 cuillerée à café
    de cerfeuil
4 graines de coriandre
1 pointe de piment
2 l d'eau
Glutamate*

1. Nettoyez le poisson, coupez-le en tronçons et mettez-le dans l'eau froide. Portez à ébullition et ajoutez l'ananas coupé en bâtonnets, ainsi que la tomate épluchée et épépinée.

2. Ajoutez le glutamate, le basilic, le cerfeuil, la coriandre et le piment. Laissez cuire à petits bouillons pendant 40 minutes.

3. Servez la soupe à l'ananas en l'accompagnant de riz cuit à la créole.

Table des matières

LES POTAGES

LES SOUPES

Remerciements à :
Gloria Matey, Augusta Ribeiro, Meïr Danon, Régina Carduccio

Bibliographie
Georges et Germaine Blond, *Festins de tous les temps,* Fayard.
André Castelot, *L'Histoire à table,* Perrin.
Robert J. Courtine, *La Gastronomie,* PUF.
Christian Guy, *Almanach historique de la gastronomie française,* Hachette.
Jacques Montandon, *Le Bon Pain des provinces de France,* Edila.
Christiane Schapira, *La Bonne Cuisine corse,* Solar.
Maguelone Toussaint-Samat, *Histoire naturelle et morale de la nourriture,* Bordas Culture.

Si vous souhaitez recevoir notre catalogue
et être tenu au courant de nos publications,
envoyez-nous vos nom et adresse, en citant ce livre
et en précisant les domaines qui vous intéressent.

Éditions SOLAR
12, avenue d'Italie
75013 PARIS
Internet : www.solar.tm.fr

Achevé d'imprimer sur les presses de MAME Imprimeurs à Tours (n° 98062269)
Flashage numérique CTP
Juin 1998